テレビ事始

イの字が映った日

高柳健次郎 著

有斐閣

もくじ

◈ おちこぼれの小学生として

私が生まれたのは明治三二年、西暦では一八九九年、文字どおり世紀末であり、新しい二十世紀を目前にした年の一月二〇日である。生地は現在の静岡県浜松市の安新町というところで、当時は浜名郡和田村安間新田と呼ばれていた。安間新田という名前は、南北朝時代の武将楠木正成の家老の安間良眼が落ちのびて住みついたことに由来するという。

父は高柳太作といい、評判の働き者だったが、分家して独立したころから少しタガが緩んだのか、一つの仕事が長つづきしないようになり、醸造業、農業、桑の栽培、銭湯などと、転々と仕事を変えるようになった。そのうえ、人に物をあげるのが好きで、植木を育てたりしてもみな人にあげてしまう。人の良すぎる、おだてに乗りやすい性格だったのだろう。

母はみつといい、とても考えの深い女性で、とりわけ私を成功させようとして様々に努力してくれた。日蓮宗に凝って毎年のように身延山に行き、私が何かやるときには必ず身延山の願満大明神に願をたててくれた。また、後に私がテレビの仕事をやるようになってからも、塩断ちをするなどして成功を祈る、そういう人であった。父

母・高柳みつ

は、私がまだ東京高等工業学校に在学中に、七二歳で亡くなったが、母は八二歳まで長生きをして、私が世界で初めての電子式テレビの開発に成功したのを見とどけてくれた。母の願いにいくぶんか応ええたわけで、いくらかのはなむけをなしえたと思っている。

こうして私は気のやさしい父親と思慮深い母親に大切に育てられた。とりわけ、私には姉は何人もいたが、長兄が早く死に、その後男の子が生まれず、老年になってから私が生まれたので、両親とも非常に喜びもし、期待もしたようである。

しかし、私は生来どうも体が丈夫ではなかった。色が白く、手足が細く、友だちから「お姫さま」とあだなされるほど虚弱な体質の子どもだったようである。七歳になり和田尋常小学校に入学したが、一月の早生れで入学したことも手伝って、クラスの中でいちばん痩せて小さく、力も弱くて、しょっちゅう風邪をひいて学校を休んだということである。

もとより学校の成績もずいぶんさんたんたるものであった。忘

当時の和田小学校

れもしないが、一年生のとき初めて成績簿をもらったら、甲乙丙丁という四段階評価の丙と丁ばかりがついていた。私のすぐ上の姉はちいといったが、この姉は逆に成績がたいへん良く、全部甲であった。ところが一方私は良い科目でも丙という具合だったから、自分ながら「これはよほど悪いな」と気がついたわけである。

成績ばかりではなく、運動能力の方もずいぶん劣っていた。駆け足はもちろん、その他どんな競技をやっても、気力にも乏しく、とにかくいちばんビリッケツばかりであった。

こうしてふりかえってみると、当時の私は劣等生——今でいう「おちこぼれ」——と言ってもよいような、どんなクラスにも必ず何人かはいる目立たず影のうすい子どもであった。まして「独創的なアイディアを提出し、それを沢山の人々をリードしながら現実化していく」というような、後に私がめざしたような仕事ができそうな子どもでは、どうひいきめに見ても、なかったのである。

◈ 機械への好奇心

ただ、学校の成績や運動こそひどく劣っていたが、私は幼い時から、機械のなりたちや作り方などに極めて強い好奇心をもっていた。当時私がいちばん強い印象を受けたのは、東海道線天竜川に新しい鉄橋ができて、そこを蒸気機関車がすばらしい勢いで走る姿を見たことである。私はその勇姿に非常に感激し興奮して、その模型を作ることに熱中した。今の簡単で便利な「プラモデル」とは異なり、木や竹を切り、削って作るのだから、相当の熱意や根気が必要であった。

また、私の四歳の時にアメリカでライト兄弟による飛行機の実験が成功したのだったが、小学校に入るころには、「飛行機というもの」の噂が子どもの耳にも伝わってくるようになって、非常に興味が持たれはじめた。そして、日本でも天竜川の南の端で、福永さんという人が飛行機をとばし、幼い空想心をいやが上にも刺激してくれた。私は子ども心に、どうして飛行機は飛ぶのかと考えに考え、鳥の羽根に似た模型を作ろうと熱中した。しかし、小学生の私に飛ぶことのできる構造を考えられるわけもなく、プロペラ推進やロケット推進などの考え方を教えられ理解するようになったのは、ずっとあとのことであった。

それに、遠州地方は風が強くて、冬から春にかけて盛んに凧揚げが行なわれる。私もこれが非常に好きで、少し大きな凧は買ったりもしたが、小さなものは自分であれこれと作って揚げたものである。凧を電信線に引っかけて巡査にこっぴどく叱られ、ふさぎこんで家に帰ったときのこともよく覚えている。

こうして私は、小学校時代、勉強はひどく苦手で、それよりも機械的なものを見たりさわったり考えたりするのを好み、また模型づくりに熱中するという毎日を送った。母は、そういう私にずいぶん心配もしたようである。というのは、私の親せきも含めて、浜松をはじめ東海地方には、自動織機を発明し、今日のトヨタの礎を築いた豊田佐吉翁などの成功のあとを追うべく、発明や新事業に文字どおり一生を賭けたという人が多く、しかも、当然とはいえ、その大多数はみじめな失敗の憂き目を見ていたからである。

こうした母の注意を私は生涯守った。家族あっての研究であり事業であって、それを犠牲にするようなやり方はとらなかったのである。もっとも、後に妻が述懐していたように、研究資材をととのえるために、妻の結婚持参金が真空管に変わってしまったのをはじめ、乏しい家計から次々と出費がつづき、家族に不自由を強いたのも事実である。しかし、その中でも、家族の生活を決定的に不安な状態においたことはけっしてなかったと思う。

◈ 無線との出会い

さて、私はこういう尋常小学校時代に、二度にわたって「無線」との出会いを経験している。当時それらは、もとより極めてプリミティブな水準にしかなかったが、幼い私の頭脳に焼きつく強い印象を今にいたるまで残している。

その第一は、尋常小学校三年ごろのことである。日露戦争時の軍艦「信濃」に乗っていたと称する海軍の水兵さんが三人ぐらい組になり、無線通信のデモンストレーションをやって小学校を巡回し、私の和田尋常小学校をも訪れた。水兵さんたちは、教室の両端にそれぞれ通信器を置き、片方の隅のアンテナから電波を出して、もう一方の隅のアンテナでそれを受けるのである。そして、その間には線はつながっていないのに、一方から電信のモールス信号——内容は、日露戦争で軍艦信濃が発信した有名な「敵艦見ゆ」であった——を送ると、もう一方がカチカチカチカチと鳴った。当時はまだ鉱石検波器すらない時代であったから、コヒーラーというものを使った実験であった。それにしても、電波というものが存在し、線でつなぐこともなく通信ができるということを眼前に見せられ、私は非常に不思議に思い、強く感銘したのである。

それから三、四年して、明治四五年には、私と無線との第二の出会い＝タイタニック号事件が起きる。これは、このころ父が銭湯をやっていて、そこへやってくる村の人々のガヤガヤという世間話を聞いてまず知ったことだと思う。

コヒーラー

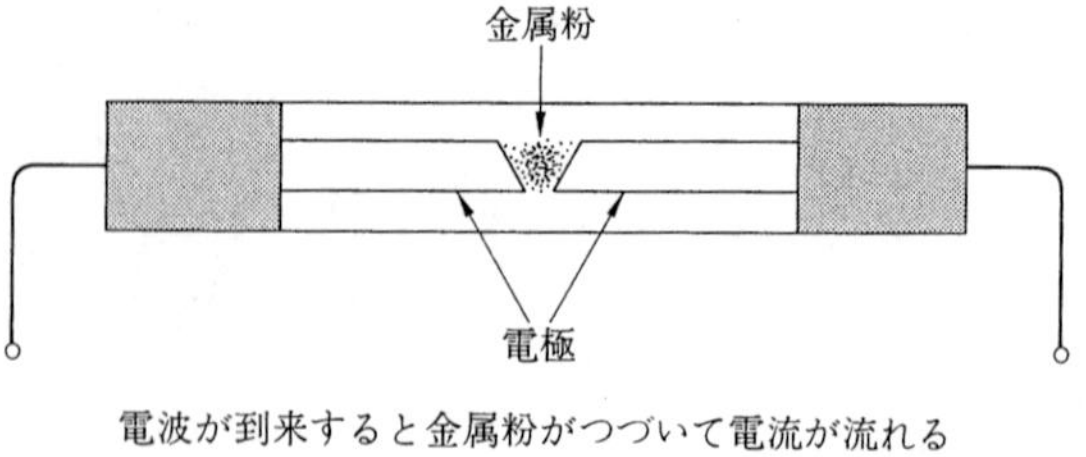

電波が到来すると金属粉がつづいて電流が流れる

――この世間話は私にとって大切な情報源で、前回のハレー彗星接近のニュースもここで知った。ハレー彗星が来て地球はどうかなってしまうという噂が語られ、西の空に見える、というので村のはずれの安間川の橋へ出かけて、夕暮のまだ少し赤味が残った空に大きくはっきりとした彗星を見た記憶も残っている。――

ともあれ、この豪華客船タイタニック号がその処女航海中、北大西洋で氷山に当って沈没したという大事件の印象は強烈であった。そしてその中で、アメリカの一無線技師サーノフ氏がこの惨事を無線でキャッチし、さらにそれを全世界に無線で伝えたという活躍の記事が新聞紙上をにぎわし、その噂が私に忘れ難い感銘を与えたのである。

「無線」は、私のテレビ研究のいわば前提である。そのとき私は、自分が将来「無線遠視法」の研究に生涯を捧げるようになるなどとは夢にも思っていなかったし、まして、かの無線技師サーノフ氏が米国ＲＣＡ社を設立しラジオ事業を創造開発したばかりでなく、太平洋をはさんで、私と電子方式テレビ技術の開発について競争し協力するという深い因縁が生まれるとは知る由もない。しかし、小学校での「敵艦見ゆ」の無線実演とタイタニック号事件の二つは、私の心の深層に「無線」というものの大切さを強く刻みこんだのである。

サーノフ氏

◈第一の転機――薬屋への奉公をやめて高等小学校へ

尋常小学校六年ごろに、父は銭湯をやめて桑の栽培や繭の売買を始め、うちでは母が真綿を作ったり絹糸を紡いだりしていたが、それもあまり思うようにはいかなかった。ちょうどその頃、同じ安間出身の郷土の偉人とも言うべき方で、天竜川地域の治山・治水をはじめさまざまな事業で有名な金原明善翁の孫の徳次さんがお嫁さんをもらって金原家の三代目をつぎ、新しい事業を興そうということになった。それは農地改良をやり、農業学校の先生を迎えるなどして新しい方法で農業を営もうとするものであった。そしてその中に、安新町の南部での養魚事業も含まれていた。父は、安間川の下の方で鉄道に近いところに作られたその養魚池の管理人をたのまれたのである。それは、三町歩ぐらいの広い田んぼに堤防を築いて池にし、そこにウナギ、鯉などを飼い、池の真中には島を作ってスッポンを飼ったりするというものであった。

こうして私は尋常六年生ごろから高等小学校を卒業するころまで、この養魚場の番人の家で暮らすことになった。この養魚場の生活というのは、私にはとても良いものであった。太陽は輝いて空気は澄んでおり、鯉やウナギやスッポンなど栄養価の高いものが十二分に食べられるようになり、それまでひどくヘナヘナしていたのが目に見

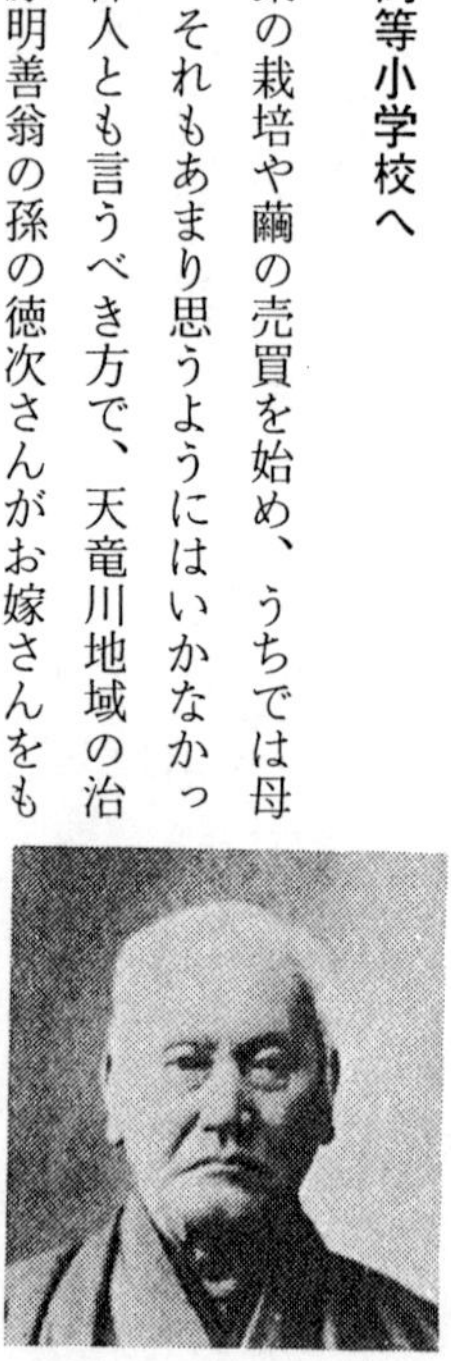

金原明善翁

えて健康になってきたのである。

　このまことに懐しい養魚場跡には、現在、天竜中学校が建設されて、多くの子どもたちが集まっている。

　健康にはなってきたが、学業の方がそれに伴って向上するというものでもない。また家が貧しかったので、私は尋常小学校でやめて、卒業のあとはすぐ浜松の薬屋に奉公に行くということになった。ところが、奉公に出る日も間近になったある日、偶然、区長の栗野源四郎さんが養魚池に来られ、小学校の先生に二重丸か三重丸をもらった私の習字が、障子の破れのつくろいを兼ねてはりつけてあるのを見て――私は学校の成績が悪い割には習字はうまかった――、「こんな立派な字を書く子を尋常だけで終らせるのはもったいない。ぜひ高等科へ進ませろ」と勧め、渋る父を説得してくれた。

　幸いちょうどその年から和田村の小学校にも高等科ができて通学も楽になっており、私はそこへ進学することができた。私は区長さんのおかげで助かったのである。というのは、私はこの高等

安間川近くの図

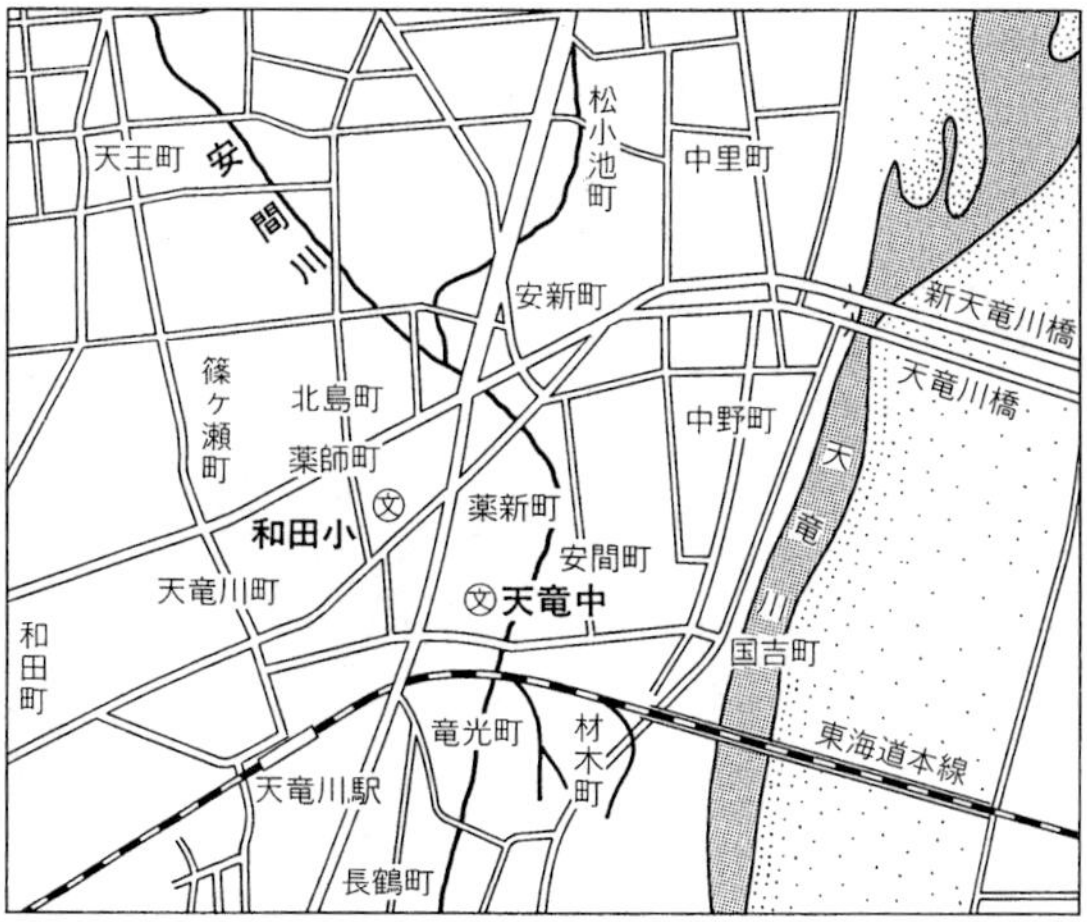

科で本当に良い先生と出会い、自らの運命を大きく変えていくきっかけをつかむことができたからである。

◈ 良き師を得る――渡瀬先生のこと

その先生は、渡瀬晴吉先生といい、静岡師範を出て数年という新進気鋭の方であった。その方が受けもちをやってくださったのである。渡瀬先生は非常に生徒の面倒見のよい方で、とくに私に対して目をかけて下さった。私は、先にも言ったように小学校時代はひどく成績が悪く、六年のときにようやく中程度のところにまで来ていたという具合で、こと勉強については全く自信がなかった。ところが渡瀬先生はその私の中に何かを見出して、非常に上手に勉強を奨励して下さった。

渡瀬晴吉先生

先生は初めにわざわざ私のために算術の問題を出して下さって、

「これは難しいからおまえの頭では解けないだろう。」

とおっしゃられる。私はくやしく、一生懸命それを考えて、一週間も二週間もかかって、自分の力でそれをやっと解いて先生のところへもっていく。先生はとても賞めて、

「ああ、これは非常によくできた！　しかし今度はできないだろう。」

と言ってまた難問題を出して下さる。本当にうれしく、励まされ、また一週間も二週間も一生懸命考えて解いて持っていく。そうするとまたほめてくれて、また次の問題を出して下さる。

先生はそういうことを根気よく続けて下さったが、三回、四回とやっているうちに、自分のようなぼんやりした愚鈍な者でも、懸命に考えればわかるのだなということで、すっかり自分の頭に自信ができてきた。先生はこうして、何でも徹底してやればできるのだということを自分で体験するようにしむけて下さったわけである。

だから私は、算数ばかりでなく、読み書きあるいは国語でも、理科のような科目でも、自分で考えてやるということを大切にするようになった。そのため、成績はどんどん上がってきて、高等小学校二年を卒業するころはトップ・クラスに入るようになった。

これは勉強だけに限らなかった。私は、生来虚弱で、例えば鉄棒などは自分にはできないものと思っていたのだが、夏休みに父にたのんで養魚場の池のふちに鉄棒を作ってもらい、毎日毎日練習した。そして二〇日か一ヵ月ぐらいたつと、足かけから尻上りができるようになった。こうして私は、とにかくねばり強く続けてやれば何事もだんだんできるようになるという、長い研究生活を通じてもちつづけた姿勢というか確信を初めてもてるようになったのである。これは、私にとって本当に有難いことであった。

◈教師へのあこがれ

私は「渡瀬先生は本当に偉いものだ。小学校にこういう先生がいて導いて下されば、どんな愚鈍な子でも本当に生き生きと輝いてくるようになる。教育ほど尊いものはない」と感じ、高等小学校を卒業するころには、ぜひ渡瀬先生のような小学校の先生になりたいと思うようになった。こうして私の進路は大きく転回しはじめた。

しかし、教師になるには、本当は尋常小学校のあと中学校に入り、師範学校へと進まなくてはならなかった。それを中学校ではなく高等小学校へ来てしまっていたので、師範学校には入れない。かといって、良い教師になりたいと願う気持ちを抑えることはできない。そこで浜松にある準教員養成所というものへ行こうということにした。ここで一年勉強すると準教員として教壇に立つ資格がとれたのである。

私は準教員養成所を成績一番で卒業することができた。そして、準教員ではもったいないから師範学校へ行って正式の教師になれと勧められ、当時浜松にはまだ師範学校がなかったので、思いきって静岡市にあった静岡師範に入学して四年間勉強したのである。考えてみれば、ずいぶんぎくしゃくした道のりになったものである。

師範に入って多くのよい先生に出会ったが、とりわけ当時の内堀維文校長からは、「教育というのは非常に大切なことであるが、それは〈教える〉ということではない。教育＝エデュケーションとは、その人間が持っている才能など良いものを引き出して育てて行くことだ。けっしてそれを外から与えたり変形させたりすることではない」という教育哲学を教えられた。これはかつて私が感銘した渡瀬先生の考え方と同じであり、私は大いに意を強くしたのである。

◈科学に目を開かれる

また師範では、数学や理科の専門の勉強も受け、非常に得るところが大きかった。とりわけ幾何で問題を解くやり方をていねいに教えられ、本当に有難いと思った。それはまず、目的を明快に立てること、次に色々な資料、材料、条件などを調査し用意すること、さらにその中心になる公理・定理といったものを熟知しておくこと。そのうえで、それらの公理・定理をどう使うかをよく考えて問題を解いていくわけである。そして、それではまだ足りない。解いて、あとでその結果を吟味して、はたして自分が目的としたことにかなっているかどうかを確かめ証明し、行き過ぎや不十分が

内堀維文校長。左うしろに高柳がいる。

ないかを見る。もしいけないところがあればまた元へ戻り、もう一度目的を立てるところからやり直して、最後の確かめまでを繰りかえし、よろしいということになって初めて解決したことになる。また更に、従来の公理・定理だけで解決しない場合は、新しい公理・定理を自分で創造・開発しなければならない。

私はこのプロセスが非常に面白いと思い、気にいった。そして研究においてはもちろん、あらゆる物事を処理するとき、この方法をとれば必ず解けていくと考えるようになり、実行したのである。

私が研究についていつも楽観的でありえたのは、この辺に理由があるかもしれない。私は研究をやることが嬉しくて仕方がない。やらずにはいられない気分で打ち込んだ。だから、研究が失敗して行き詰まっても決して失望や落胆はしなかった。失敗や不成功は天の教訓であると思い、深く反省して、基本からのやり方を考え直して、何べんでもやり直して行った。そうすると突然天の啓示のようなヒラメキが浮かんで来て、おのずから道が開いて問題が一挙に解決してすすんでいったのである。だから私は研究が行き詰まったときには、口笛を吹いて気を楽にして、研究への鋭気を養うことにしていた。

さて、師範時代に、園田という先生の物理の時間に真空放電の実験を見せてもらっ

当時の静岡師範学校

たことがある。これが、私が電気に関心を持つ一番大きなきっかけであった。

真空ポンプでガラス管の空気を抜き、その中に感応コイルで高電圧をかけると放電がおきる。そうすると電子線やイオン線が発生してガス放電を起こすと同時に、それがガラス管の中においてある鉱石に当って、美しい赤や緑や紫色の螢光を出した。

私はこれを見てその美しさと神秘性に大変大きな衝撃を受けた。電気とは何と不思議な力を持っていることか。そしてこの電気を使えば、物質の中の分子・原子までも分解してその構成を見ることもできるようになるのではないか。物質とはそもそも何でできているのか。分子の構造、さらに原子の構造はどうなっているのか。私は物質について学問の蘊奥を究めてみたいと考えるようになったのである。

当時の私は、とにかく懐疑的というか、いちばん単純でしかもいちばん根本のことを質問して、先生を困らせていた。物理の先生が「光はウェーブだ」と言えば、「なぜ直進するのですか、理

真空放電の実験装置

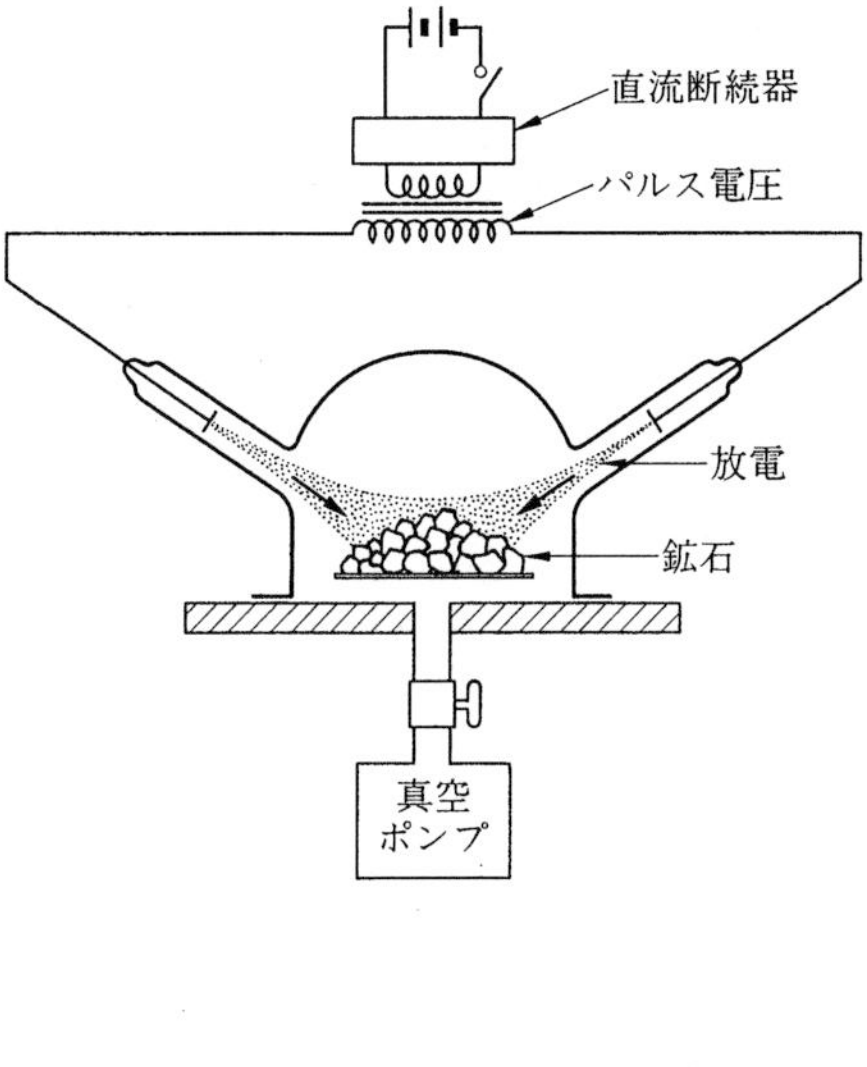

由を説明して下さい」とくい下がるという具合である。先生は色々と説明してくれるのだが、どうしても納得がいかなくて歯がゆい感じを抱いたものである。光波と電波の波動の理論は、あとになってJ・C・マックスウェルとか種々の式があることを知るのだが、そういうものの根本の理屈が、私にとってはいちばん知りたいところであった。

先の実験についても、「なぜ電子が鉱石に当って赤い光、紫の光あるいはまた緑の光が出るのですか」と、なぜ、なぜと尋ね、執拗にくい下がった。実はこれはやがて白黒テレビや現在のカラーテレビにもつながる現象なのだが、当時は、その原理は先端の物理学者にはだんだん判ってきていたにしても、我々一般の工学関係のものには光るという事実が知られているだけで、「なぜ」ということはまったくわからなかったのである。まして、ニールス・ボアとか色々な考え方が出てきて原子核の構造が知られるようになったのは、それからしばらくたってのことなのである。

根本の理屈のところまで疑問を提出してゆこうという私のこうした態度が、将来にプラスしたことは疑いない。私がテレビの方式を色々考えた中で、非常に容易に「電子を使って光を出そう」という電子式テレビの考えに至ることができたのも、ここに求めることができよう。他の方々が、光は光、電気は電気と分けて考えて機械式のテレビへ進まれたときに、私は全くストレス・バリアー（障害）なしに、あくまで真空の中を走る電子で問題を始末してやろうという見解をもつことができたのである。

多くの人が同じ現象を見ているのだが、その感じ方はさまざまに違うものである。そしてそれを今自分がやっていることに結びつくと思うか思わないかが岐路ともなる。私の場合は、幸いにも、例えばそうした放電実験と、そのとき物事の根本までさかのぼって疑問に思ったことが、潜在的に心の中に残っていて、何年もしてから自分の課題と結びついたのであろう。

ともあれ、こうしてまた私は転機を迎える。それまでは学校の先生になって教育に尽したいと考えていたのだが、それが、いわゆる原子や原子核についての物理学的な研究の道へ進みたいと思うように変化したのである。

◈ 東京高等工業学校へ――講義内容に落胆

しかし、私の家は貧しく、とてもそれ以上上級の学校へ進むなどということは考えられなかった。現に学んでいる師範学校への入学に際しても、一〇円にも満たない月給の父親はお金がなくて困ったのである。幸い師範学校は授業料などは給費であり、寄宿舎に入っていたので学費はあまりかからなかったのだが、それでも月に四円ほどは必要で、看護婦をしていた姉のちいから少しずつ仕送りをしてもらったり、力行団に入って友人たちの「床屋」をやって手間賃をもらったり、宿直室に泊って夜警をしたりして、その手当で何とかしのいできたという実情であった。

ところが、そろそろ師範を卒業というころ、将来老後の面倒をみるという条件で、伯母のちえが私の学資を出してくれるという話がもちあがった。この伯母は私の父の姉で、高柳弥平という人の妻であった。弥平は金原明善翁の差配のようなことをし、その後独立させてもらって蔵を三つも四つも持って非常に盛んに醸造業を営んでいた。しかし、伯母には子どもが生まれなかったので、私の父がこの弥平の養子となり、そこで働いていたのである。ところが、弥平は新しい夫人を迎えて子を得たので、その子が家を継ぐことになった。そして金原明善翁が御配慮下さって伯母も財産を分与されることになった。伯母はそのうち四〜五反（四〇〜五〇アール）の田を売って、私にもっと上の学校へ行く学費を出してくれたのである。それで私はその伯母を母代りとし

浅草・蔵前にあった東京高等工業学校の本館

てその後終生仕えることになる。

さて、不意に上の学校へ進んでよいということになりはしたが、師範から上へ行く道というのは非常に狭いものであった。幸い蔵前の東京高等工業学校の付属で工業教員養成所というものがあり、そこならば電気も習えるということで受験したところ、無事合格し入学できた。それは、第一次大戦が始まって中国の青島で捕えられたドイツ兵が静岡師範の校庭で運動をしている、といった雰囲気の中、大正七年のことであった。

ところがこの東京高等工業に入って非常に驚きまたガッカリもしたのは、そこの電気科で教えてくれる電気というのは、真空放電をはじめとするような物理学的なものとはおよそほど遠いものだったことである。教えてくれるのは、発電機、モーター、それを利用した電車、電力を送るための変圧器といったものばかりであった。すなわち、すでに確立した電気磁気学などの理論を応用して人間の生活に直接的に利便をもたらすようにするための勉強が全てであった。

電灯のことさえも十分でなく、非常に幼稚というかプリミティブな内容であり、物理学の最新の基礎理論に関する講義はなく、まして私が望んでいた、電子を使って物質を破壊し、原子核の構造を調べるといった講義は、もとより一つもなかった。それらを学ぶためには、東北大学などの旧帝国大学に行かなければならなかった。現に、同じ教員養成所の一年先輩であり、後に東京大学総長となられた茅誠司さんは、蔵前を卒業後、東北帝国大学理学部に入学され、私が望んでいたようなことを研究されるようになった。

私は深く失望し、落胆した。学校にいることの意味がわからなくなってしまった。

手島精一校長

◈転　換

さて私は、身寄りも近くになかったので、学校のすすめで、入学してすぐ向上舎という寄宿舎に入れていただき暮らすようになった。この向上舎というのは、蔵前の初代校長の手島精一先生の援助のもとに、蓮沼門三先生という精神運動家の設立した修養団が学校の敷地内に建築・運営したもので、私はおかげで非常に安い費用で学校生活を送ることができたのである。そのかわり、というか向上舎の学生は、朝晩に蓮沼先生の「愛と汗」をモットーとした訓育・指導を受け、さらに渋沢栄一先生、森村市左衛門先生、二木謙三先生、一木喜徳郎先生、平沼騏一郎先生というような明治維新の志士や有名人の話を聞かされたのである。

志と講義内容との大きな格差に茫然自失という体であった当時の私にとって、これらの方々の教えはきわめて適切な道案内となるものであった。すなわち、「日本の国を富ませ将来発展させるためには、工業を盛んにしていかなければならない」という、いわゆる工業立国論を繰り返し教えられたわけである。

そう思ってみると、新しい原理を発見したりしなくても、電気を使って世の中のためになるものを発明し、それを作る事業を起こせばよい、既に分かった原理を応用して人間の幸せを増すという工業も大変重要で有意義なことだ考えることができるようになってきた。そして、物理学の研究に生きることは断念して、電気を応用して何か世のためになることをやるのだと腹を決めたのである。

さて、当時大正の半ばごろというのは、電気的なものの開発はまだ幼稚な時代であった。電灯は炭素電球であり、タングステンにはなっていなかった。電車は走っていたから、動力としての電気の使用は方々で見られ、工場ではモーターを回して機械を動かし始めていたが、その他は、そろそろ無線の時代になるかということろであった。しかも、その無線も、日露戦争ではじめて無線電信が使われ軍用は進んだが、一般への普及はまだまだであった。ようやく数年前に横山英太郎先生などによる無線電話の実験が行なわれたという段階でしかなかったのである。

アメリカではラジオというものが始まりそうだという噂がきかれるようになっては

いたが、日本でそれが家庭にまで広まっていったのはずっと後の大正一四年からのことである。第一、真空管がまだ登場していなかったから、よい増幅器もなく、直接電波で届いた信号音を聴くに近いという世の中だったのである。

私は、こういう状況下で、東京高等工業でまじめに電気工学を学び、身につけ、具体的な研究テーマを捜そうと決心した。しかし、それはなかなかの難事であった。

◈研究テーマを求める——中村幸之助先生の訓話

私がテレビジョンの研究に向かうについては、初代の東京工業大学学長の中村幸之助先生、ラジオ研究の山本勇先生というお二人に大変お世話になり、強い影響を受けた。とりわけそれは、中村先生の次のようなお話から出発する。

すなわち私は、大正一〇年三月に東京高等工業の電気科を卒業することになるが、その何ヵ月か前に、当時電気科長をしておられた中村先生が私たちに訓話をされた。

「お前たちは近く卒業するけれども、これからどういう考えでやるかが問題だ。いずれにしろ電気を学んだのだから、この電気を通して、将来、国家のお役に立つような人間になってほしいのだが、今流行っていることをやりたがってはだめだ。今お前たちに必要なことはそうではないのだ。今は何とも問題になっていないけれども、将来、一〇年・二〇年後になって日本になくてはならないというような技術があるはずだ。そういうものを見出して、今からコツコツ積み上げて勉強しなさい。そうすれば、いかなる愚鈍な者でも、石の上にも三年、いや一〇年・二〇年同じことをやれば、必ずひとかどの技術者になれる。ちょうどその時に世の中がそういうものを欲しいと思うようになるのだから、うまく世のお役に立つことができるのだ。」

そして中村先生は、当時の電気界の花形技術である特別高圧の電力輸送を例として続けられる。

「今、その花形技術の一番のエキスパートとなってもてはやされている一団がいる。若い人、とりわけ少し優秀なものはそういう方面にばかり行きたがる。けれどもそれはダメだ。今エキスパートとなっている人たちは、一〇年・二〇年前に私が、特別高圧送電をやれと言って電力会社に世話をしたのだ。ところがその時には連中は、猪苗代湖や信濃川の山の中に入るのはイヤだと非常に私を恨んで、イヤイヤ行ったのだ。そして今、

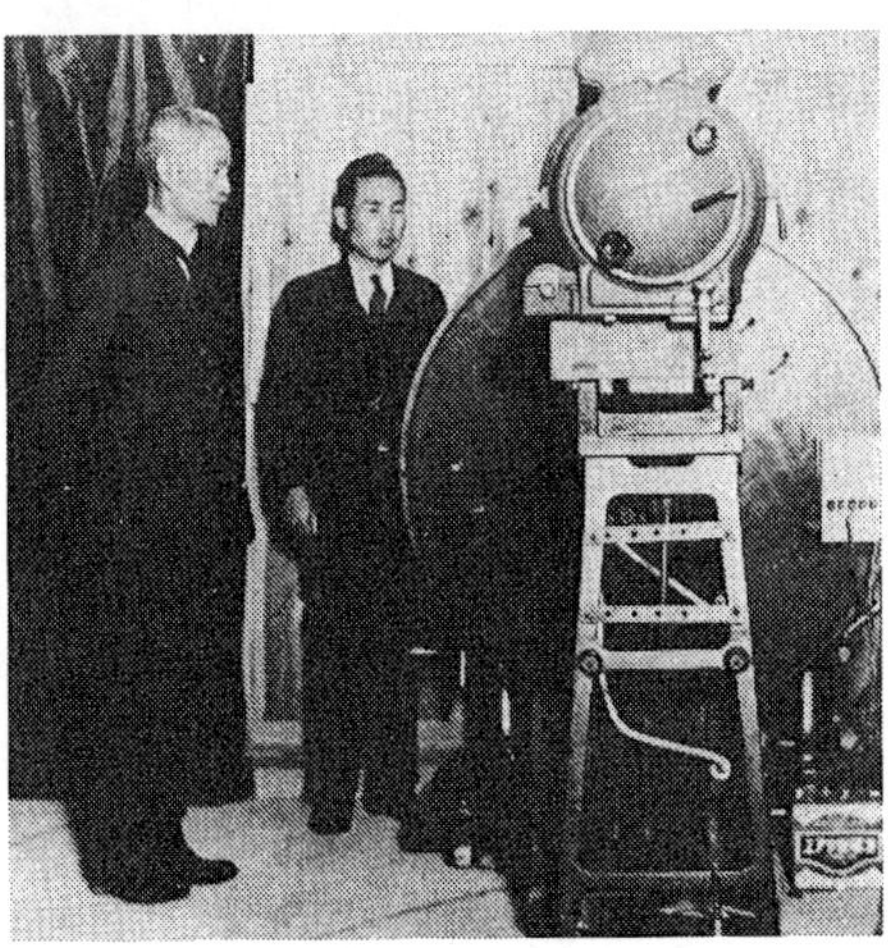

昭和六年に浜松を訪ねて下さったおりの中村幸之助博士(左)と高柳

大電力を田舎で発電して東京へ運び東京の電気界を潤して何でもできるようになった。イヤだと言いながら辛抱したのが実ったのだ。今お前たちがそこへ行っても、先輩たちが全部やっているから、けっして花形にもエキスパートにもなれず、補助的な役割に甘んじなくてはならなくなる。だから、是非とも将来開花する問題を見つけて、地道に人知れず自分で技術を積み上げる努力をしなければならない。」

中村先生はまた、次のような言い方もされた。

「西洋にフォーチュンという神様がいる。幸運の女神で、美人で前髪がふさふさしていてとてもきれいに見えているが、実はうしろがハゲているのだ。だから、後から追いかけて幸せをつかもうとしても、頭がすべってしまってつかまえられやしない。だから彼女をつかまえるには、先まわりして来るのを待って、前髪をつかまなくてはならない。」

中村先生は結局、先見性の大切さを説かれたのだが、これは、私がこれまで、渡瀬先生を初めすばらしい先生方に植えつけていただいた生活信条や勉強のスタイルにピタリと一致するお話だった。私のように愚鈍な者は、いま目の前に輝いているものを手に入れようとしても人にかなうわけもなく、とてもムリだが、目的を見定め、一〇年あるいは二〇年かけてその準備をすれば、どんな素晴しいものにも手がとどくようになる。これほど私を励ます話はなかった。

私は心の底から感銘した。そして自分は、必ずそのとおりに努力しようと決意したのである。そして卒業式の晩、同級生と一緒に祝賀パーティをやったときに、「お前たち、男子三日会わざれば刮目して見るべしなどと言うが、俺はとにかく一〇年・二〇年してお前たちを驚かすようなことをやるぞ」と昂揚した気分にまかせて大いに気勢をあげたのであった。

私はこうして中村先生のお話を一生みずからの指針としてきたのだが、後にクラスの友人たちに聞いてみると、皆全く覚えていないという。だから聞く耳をもたず探し求める心がない人には、いくら言っても、そこには何も生まれない。神はチャンスを皆に公平に与えて下さるのだから、そのチャンスをうまく引き出してちょうど合目的にやれるようにするということが一つ因縁であり縁なのであり、その鍵は、求める心があるかどうかにかかっているのである。チャンスを得るのは単なる偶然ではなく、それをつかむ努力の問題なのである。私は、かつて蔵前の講義内容に深く落胆したが、それを超えて、新しい電気技術の開発で人々にお役にたとうと自らを奮い立たせようとし、その決心を実現する方途を心から求めていた。その気持が、中村先生の発せられたお話と共鳴したのである。

さて、友人たちに大言壮語して卒業はしたが、その未来に開花する目標——研究テーマ——について何かあてがあったわけではない。まずテーマ探しから始めるという状態であった。

そして私は、テーマ探しのためには東京に近いところにいなくてはならないということで、神奈川県立工業学校に就職した。それは、前にも述べたが私が電気科に入るに当って工業教員養成所の学生という形になっており、三〜四年間は工業学校の先生をやることが義務づけられもしていたからである。いきなりどこかの会社や研究所に就職することはできなかったのである。

◈情報入手のために——語学習得に努力

ともあれ、こうして私のテーマ探しが始まった。私は、あたかも仏門の求道者のように、テーマ探しに没入した。

まず私は、テーマを探すにはどうしても外国の事情を知らなければならないと思った。そのため、電気関係の専門雑誌、ポピュラーな科学雑誌『ポピュラー・サイエンス』、アマチュア向けの『ラディオ』など、アメリカ、イギリス、フランス、ドイツの四ヵ国から三、四種類ずつとって読むことにした。私は、就職後の初めての給料を横浜の丸善で全額はたいて、それら十いくつかの雑誌を三年分購読予約して、丸善の店員を驚かせたりしたのである。

また、雑誌を予約したものの、英語のものは何とか読めたが、ドイツ語、フランス語のものはなかなか読めはしない。

ドイツ語の方は、蔵前在学中二年間、外国語学校の夜学に通って勉強していたので、卒業後も一年間つづけ、合計三年間かけてひととおりは読めるようになった。横浜の工業学校で教えて、すぐ汽車で東京駅まで行き、そこから二〇分歩いて今の気象台のところにあった外語学校まで行く。そして二時間半から三時間の授業を受けてまた汽車で蒲田まで帰り、夕飯を食べて寝て、翌朝また八時に学校へ出て授業をする。……そんな生活を繰りかえして、さすがに私も疲れてしまった。

私は、これ以上つづけるのは無理だとして、次にフランス語へと転じた。横浜の外人居住地の中のフランス領事館での、週三回のフランス語講習会に通うことにしたのである。そしてフランス語も、論文等の標題を読んで必要と思ったものは辞書を引きつつ調べれば何とか読めるというところまで行った。こうして、十数種類の外国雑誌を知識吸収に生かしていった。これは結果からみてもぜひ必要なことであった。

こうして私は、新任教師としての工業学校での週約三〇時間の授業とそのための準備の時間を除き、全ての時間を研究テーマの探索に当てた。しかし、テーマはようとしてつかめなかった。

◈ラジオ放送の先にあるもの

そのころ、大正九年に、アメリカのピッツバークで、ウェスチングハウスという会社が、初めてラジオ放送を始め、それが非常に好評だというニュースが伝えられていた。それは、家庭にいながら音楽を聴いたり、面白い話を聞いたりでき、しかも、子どもでも組みたてられるような簡単な受信機で楽しむことができるので、燎原の火のように広がって、放送局もできているという話であった。

もちろん日本ではそれは全くなく、私自身学校にいる間は、ラジオなどというものの存在すら知らなかった。しかし、無線電話については、その日本での三人の代表的研究者の一人の横山英太郎先生が幸いにも蔵前での私たちの無線の先生だったこともあり、若干の知識をもっていた。しかし、このアメリカで始まったラジオとは、無線電話が一人が一人に伝えるというものであるのと異なり、放送――一ヵ所で電波を出して、家庭など一般の人に対し、話とか音楽を届けて楽しんでもらえるという、いわゆるブロードキャスト（放送）――というものであった。

私はそれを知って、「これは非常に面白い方法だ。日本でも必ず近いうちに広まるから、よく勉強しなくてはならない」と思った。そして先生についてラジオの勉強をしようと考えた。とはいっても私は、これは私のめざす「次世代」の研究としては適当でないと思った。それは、一〇年・二〇年後に開花するという技術には入らない。もう既に外国でスタートしており、日本でもそれを受け継いでいける研究者はいくらでもいる。自分が探すのは、ラジオ技術の先にある、未踏の、次世代の問題でなくてはならない。ぜひそれを見つけてテーマにしたいと思った。

こう決心して、私は文献を読みあさり、さまざまな方の意見をむさぼり聞いた。しかし、外国の雑誌にも、ラジオを超えるもののことなどはまったく載っていない。また山本勇先生という優れたラジオ専門家の助手になって、無線のアンテナを張ったり、いろいろなお手伝いをしながら教えを受けたりもした。しかし先生も、ラジオの先に何があるというようなことは何もおっしゃられない。他のラジオの専門家も、もとより同様であった。

横浜のホテルに外人客をたずね、なるべく知識のありそうな人をつかまえて、アメリカでのラジオの発達の様子や、その中でどのようなことが起きようとしているのかなどを、つたない英語に臆することなく、一生懸命に尋ねてまわったのも、このころのことである。奇妙な日本人がいるものだと思われたに違いないが、それをふりかえる余裕もなかった。本当に必死だったのである。

◈ 初めての外国旅行

私は非常に困ってしまった。そこで私は、外国に行けば、雑誌などには載っていないことで、市民の間の「こういうものが欲しい」とか「こういう研究者がいる」とかというわさが聞けるのではないか、またアメリカではラジオが非常に盛んだというから、その次のものは何か、その事情の一端なりとわかるのではないかと考えた。

ちょうど私は、当時横浜の東洋汽船の重役であった金原徳次さんの蒲田のお住いに寄宿させていただいていて、そこから神奈川の学校に通っていた。それで、「僕はどうしてもアメリカの様子を知りたいのです」とお話しすると、「俺は今東洋汽船にいるから、夏休みにただでアメリカへ行けるようにしてやろう」といって下さった。電気の見習工として乗船してアメリカに行けば、ロサンゼルスとサンフランシスコに二週間ずつくらいいるから、そこで下りて近辺の町を見れば、アメリカに一ヵ月近くいることができるというわけである。私は一も二もなくお世話になることにした。

乗船予定の船は、しばらく前の青島の戦争で日本がドイツから賠償として受けとった五万トンぐらいの豪華客船で、大洋丸という名をつけて東洋汽船が使っていたものであった。それが七月の一日か二日に横浜を出航してアメリカに行ってくるという予定だったが、出発の直前に南回りにコースが変わって、上海、香港、マニラ、台湾を回って日本に戻ってくるということになった。どうしようかと思ったが、船に乗れば無線の話や船客の話も聞けるからとにかく行ってこようと思って、その船に乗せていただいた。

大正一〇年七月、私は横浜を出帆した。初めて豪華船に乗って、そのすばらしさ、ぜいたくさには本当に驚かされたものである。

船内では、私は見習技師として、船の中の電気器具の掃除や点検をしたり、部屋の扇風機を直したりしていた。そのとき最もためになったのは、無線室へ行って、初めてその当時の無線機をまぢかに見、オペレーションするところも見せてもらったことである。まだ真空管方式ではなく、放電で大きな火花を出してやる送信機を用いていた。受信の方も同様に受信真空管がなく、鉱石検波器を用いるものであった。真空管が実用に入ってきたのはもう少しあとのことである。

今にして思うとずいぶんプリミティブな装置であった。長崎を出航して一日くらいは通信できたが、二日目ぐらいからはもうだんだん悪くなってきて、そのあとは届か

鉱石検波器を使った受信装置

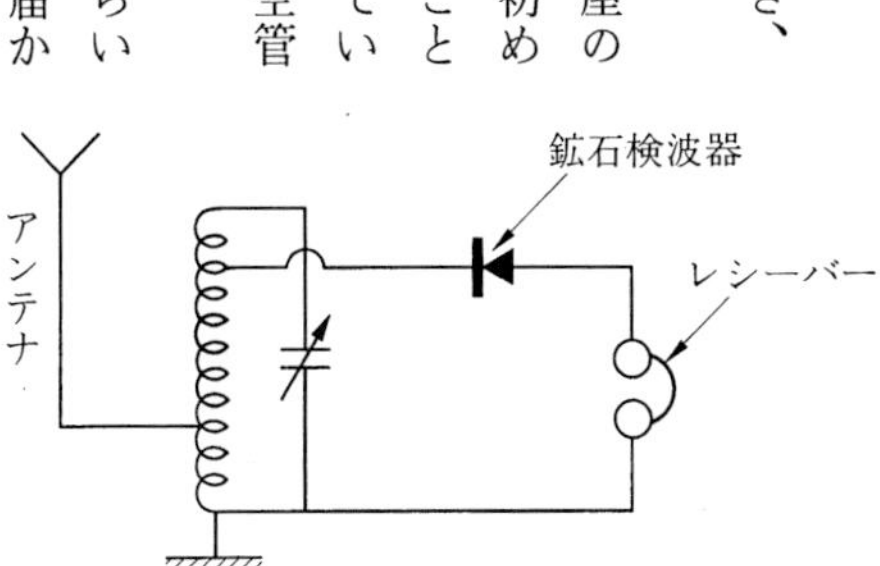

ない。そして、上海が近くなって一日前とか二日前とかになると、また通信ができるようになる、という具合であった。

だから無線技師は、港を出て一日か一日半は忙しく、また向うに着くころになると忙しくなるが、その中間はお休みとなってしまう。私は、そういう時間に、オペレーターなどに執拗に質問を繰りかえした。しかし彼らは、しょっちゅうアメリカなどに行っているから、アメリカでは大変ラジオが流行っていて機械もたくさん売られているといった程度のことは教えてくれるのだが、それ以上には出なくて、私は目的を達することができなかった。その他、船客として、エンジニアなど色々な職種の外国人が乗っていたが、ラジオの将来性については異口同音に語るものの、そこで止まってしまうのは同じだった。結局、ポスト・ラジオというべき研究テーマをその船旅の過程で見つけることはできなかった。

◈ 写真電送

それから一年半ほど経った大正一二年の初めごろに、ドイツの雑誌で、無線で写真を送受する電送写真の発明の記事が出てきた。ただし、これはブロードキャスト（放送）ではなく、一ヵ所からもう一ヵ所へ写真を電送するというものである。

この写真電送の最も簡単なものは、書画電送といって、黒と白の単純な絵であった。それが次には、普通の写真が電送できるようになってきた。私は写真電送についても、「面白い！　これなら割合に装置が簡単だから実用的なものを開発してゆけるだろう」と思った。しかし、これが驚天動地のものになるとは思えず、私の研究テーマとしては取り上げなかった。その先の問題を求めたのだが、それはいっこうに姿を現わさなかったのである。

◈ 無線遠視法という「夢」

もっとも、空想レベルに留まってはいたが、私は次のように考えるようになっていた。私の子どものころ「安倍仲麻呂などが中国に渡って、日本を想いその様子を知りたいと、三笠山などの景色を念力で映して再生して故郷をしのんだ」という話があったように、昔から遠くのできごとを見たいという願いは非常に強い。しかし、それを電気の力で行なえるとは誰も思っていない。しかし、有線の電話で声が伝わるのならば、顔や姿も伝わって見えるようになるのではないか。いや、ラジオ放送が遠くから無線で声を送れるのならば、映像だって無線でやれる理屈ではないか。そうすれば外国からの映像の中継放送でもやれるはずだ。私はこのように考え、それに「無線遠視法」と名付け、この考えにとりつかれていったのである。

しかし、それが全く夢想の類いだったかというと、そうでもない。現に私がそういう考えにのめりこんでいきつつあった大正一二年より五〇年も前に、西欧とくにドイツ、フランスでは「テレビジョン」というものが考えられていた。また電話を一八七六（明治九）年に発明したグラハム・ベルも、声が電線を伝わって遠方で再生して聞くことができるのであれば、絵がさしかわって動くように景色を遠方に送って再生できるのではないかと連想を働かせ、テレビジョンのことを一生懸命に考えていたのである。

そして、光と電気とを転換させるのだということなど、いかなる方法でやるかのアイデアは色々発明されたのだが、いざアイデアを現実に変えようとすると、当時は真空管も半導体とかトランジスタとかも一切ない時代であり、光から転換して得た弱い電気を送るために強め、また受けとって光に変えるために強めるという増幅器がないのだから、いくら色々考えても具体的には実行できない。それで皆諦めてしまっていた。そして世の中は「テレビジョン」という言葉をも忘れてしまったのである。そしてその人たちの考え方や研究は科学雑誌を見てさえ書かれていなかったのである。

◈テレビ技術の原理的な難しさ

私は、研究テーマを捜しながら、一九〇四（明治三七）年にフレミングによって二極真空管が発明され、一九〇七年にはド・フォーレによって三極真空管が発明されるというように、新しい武器としての優れた増幅器もできてきたから、テレビジョンを採り上げれば、だれもできなかったことができるかもしれないとも考えた。考えはしたが、とてもそれに踏みきることができなかった。

というのは、テレビという映像・画像を放送する技術には、音声を放送するラジオ技術と比べて格段の難しさがあることが明白だったからである。音声の方は、それを電気に変えてその電気を電線か無線かで送り出し、それを受けとって音に戻してスピーカーから出させるということでよい。すなわち、信号に強弱があって変化すればよく、その変化も、周波数でわずか五〇ヘルツから一万ヘルツまであれば、人間が必要な音はだいたいカバーできるのである。

ところが、テレビの方はそうはいかない。活動写真（映画）と同じように、目の中に前の映像が残像として残っている間に、次々と新しい画をさしかえ送りこまなくてはならない。それは一六分の一秒に一回ぐらいずつ像を送り出せば運動は連続に見えるのだが、ちらつきの問題も考慮に入れると一秒間に三〇回とか六〇回とか画を変えなくてはならない。

しかも、その一回一回の画面をどう作るかがまた大変である。一つの画面を念力のように一度にまるごと出すことはできない――これがスライドや映画との違いである――。すなわち、細かい部分部分に分解し、その一つ一つの明るさ暗さを信号に変えて受像側に送らねばならない。

また送るに当っては、その無数の部分部分の集まりを一度に送るマルチ・チャンネル方式はまた難しい。一つの部分ずつ、順ぐりに直列方式で送っていくことになる。そしてまた受ける方も、この送られた部分部分の信号を、送った方と同じ場所に配列して並べなければならない。

この難しさは、当時ようやく実用化されようとしていた写真電送（ファクシミリ）の技術と較べてもよくわかる。当時、写真電送では一枚の画を送るのに一〇分もかかった。仮りにその画を一〇〇万個の粒子に分割し信号に変えて送ったとしても、一枚につき一〇分もかけるから一秒間に送られる粒子の数はわずか一六六〇個、粒子が白黒白黒ともっともはげしく変化するとしても、映像信号はその半分の八三〇ヘルツで足りるので、電話線で送ることができたわけである。ところがテレビは、その画を三〇分の一秒に一回完成しなくてはならない。一〇〇万の粒子があれば、一秒間に三〇〇〇万個の粒子を送り出し、受けとらねばならない。だから電送スピードでみると、音声や写真電送ならば一秒間にたかだか一万ヘルツ以下だが、テレビ映像の方は一五〇〇万ヘルツにもなる。

◈ 工業技術力水準というネック

こうした原理的な面での難しさの他に、当時の工業技術のレベルの問題があった。すなわち、光から電気に転換し、それを増幅し、また電気を光に転換するという三つの段階を支える器具の性能が、当時は未だきわめて低いレベルだったのである。

最初の「光→電気」の段階＝光電管を考えてみると、当時すでにセレニウム・セルというものがあって、光をセレニウムという金属に当てるとその部分の導電性が変わって電気が通りやすくなるということがわかっていた。またエジソンが発明した外部光電効果——光が金属面に当たると電子が飛び出る——というのも知られていた。しかし、前者の感度はきわめて低く鈍かったし、後者はまだ、本当に働くものはまだ作られていなかったのである。

次に、ここで仮りに「光→電気」の過程が解決したとしても、その電気を強める真空管が問題となる。当時は、音声の送信のために使っていた真空管はせいぜい一万ヘルツまでのものであり、それ以上には応答がなかった。そしてテレビのためには、それの一〇〇倍から一〇〇〇倍近い範囲の信号を忠実に伝えうるものにまでレベルアップされなければならなかったのである。それも全く雲をつかむような話であった。というのは、当時は電話で二五〇〇ヘルツくらいがせいぜいで、ラジオの放送をやるようになってようやく少し高い良い音まで使えるようになったという段階であったからである。

三番目に、受像（電気から光＝画像へ）の方の事情も似たようなものであった。最も幼稚な方法は、電灯だったろう。これは、光がともるときにそれをコントロールするものを使えば濃淡ができるが、応答に大きな惰性があり、周波数を高くして使用できない。また、螢光灯やネオンのように、電圧をかけて放電させてやるグロー・ディスチャージ管を使う方法があり、さらに、電子を螢光物質に当てて光を出すという方法もあった。いろいろな方法はあるのだが、そのうちから、早い変化に忠実に応答して、しかも能率がよいものを見つけるとなると、大変難しかったのである。

こう考えると、大正一二年当時では、テレビはあまりにも困難な対象で、私のような若造にできそうにはとても思えず、足がすくんだような状態になっていた。中村先生から示唆を受けた「二〇年後」という範囲をも超えているように思ってちゅうちょしたわけである。

◈出　発

ところが、大正一二年の七月ごろ、私に決心を固めさせる小さな出来事があった。先に述べたように、私はそのころフランス語を習いに横浜のフランス領事館へ通っていた。そしてその帰途に洋書店に入って、雑誌などを立読みして、何か新しいものはないかと捜すのを常にしていた。そんなある日、フランスの雑誌を例によって立読みしていると、一枚のポンチ絵があり、それに「未来のテレビジョン」と書いてあるのが目に止まった。それは、ラジオの箱のようなものの上の額縁の中で女の人が歌っている絵であった。

私はこれを見て非常に驚いた。そして、漫画ですらこんな絵がかかれるほどならば、ヨーロッパの研究者は必ず何かをやりはじめているに違いない、と思った。私は、うっかりしてはいられない、非常に難しいがやってみようと決心をしたのである。

ちょうど夏休みで郷里へ帰り、私はどのようにしてテレビを作るかに思いをめぐらせた。そして、像を写し送り出す方はセレニウムを使ってみよう、像を受けて再生する方は、電球よりも早く明滅する光源を探そう、映像の走査装置には、鏡をゆすって光を振りまくというものを考えよう、とまとめていったのである。そして新学期になったら、それまでやってきた無線の実験や装置の作成にテレビジョンの研究を加えようと勇んだ。

そして九月一日朝に、天竜川駅で荷物を先に送り出し、追って夜行で横浜へ帰ろうとした。ところがそこへ、ちょうど昼ごろに大地震が起きた。関東大震災である。列車の運行は停止し、二、三日待っているうちに、横浜も東京も大変な被害だということがわかり、私の衣服など一切合財を入れた荷物も行方不明となった。私は、東洋汽船を辞めて浜松の銀行集会所長をしておられた金原徳次さんにお願いして古い洋服などを借り、それを着て、とにかく横浜の学校へ駆けつけたのであった。つぶれかかった学校を修理して、授業が再会できたのは、一ヵ月ほども後のことであった。

とにかく、こうした中で、テレビ研究に一生を賭けようとの私の意思は日に日に強く固まっていった。そして、工業学校の先生をしながらでは、時間的にも設備等の条件のうえでも研究は難しいと思うようになり、別の職を捜しはじめた。民間の会社からも、その研究室に来ないかとのお誘いもあるにはあったが、私の研究対象は民間でやるにはあまりにも長期的でリスキーなものであると思われ、お断りした。

◆浜松高等工業へ

そのときちょうど、郷里の浜松に新しい高等工業が設立されることになった。そこで母校東京高等工業の山本勇先生などの御尽力で、浜松高等工業の助教授として赴任できた。大正一三年春のことであった。こうして私のテレビ研究は浜松で始められることになった。それは、研究テーマを探し始めてちょうど三年後のことであった。

さて、私がテレビ研究開始を決心した大正一二（一九二三）年ころ、ほぼ同時にアメリカでは、後にRCAの社長になったサーノフ氏が、テレビ放送が行なわれる時代を予測し、構想した。そしてまたちょうどそのころ、ウェスチングハウス社の技師であったツヴォルィキン博士がテレビ研究を開始し、私と同じ「電子方式」のテレビの概念を考え、撮像管と受像管のアイデアについて特許を取っていた。ただツヴォルィキン博士の研究も、社員としての別の研究の余業として、自宅で、もちろん自費で細細と続けられるに止まっていたし、博士自身もとうていすぐにものになるとは考えていなかったようである。

このサーノフ氏とツヴォルィキン博士という二つの先見性ある頭脳がやがて結びつ

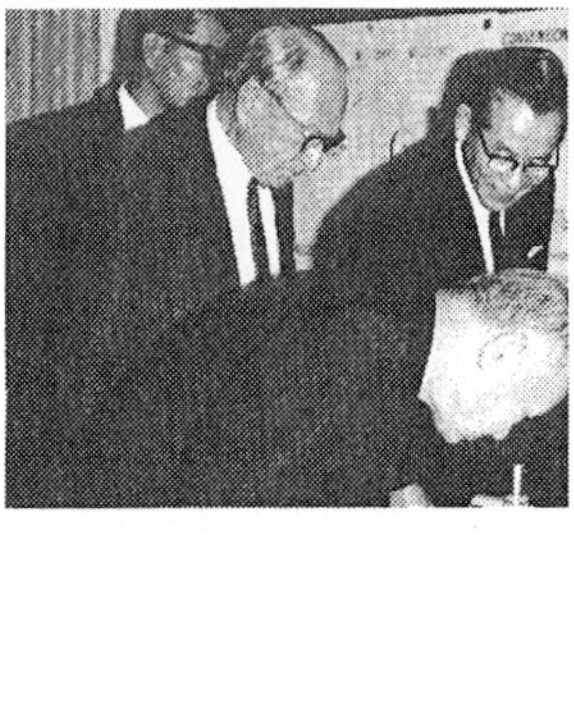

昭和四五年に訪日されたおりのツヴォルィキン博士。

いて、アメリカのテレビ開発を強力に牽引するのだが、それはしばらく後のことである。すなわち、昭和四（一九二九）年に、ツヴォルィキン博士はサーノフ氏に、「自分はこれまで個人的に研究してきたが、必ず電子方式によるテレビは実用化されるから、会社として採用して研究させてほしい」と提案する。かねてよりテレビ放送を構想していたサーノフ氏に否やはなく、すぐにツヴォルィキン博士をキャムデンの研究所へ送り、テレビジョン研究室を作って本格的な研究開発を始めさせたのである。

こうして私とツヴォルィキン博士とは、奇しくも同じ大正一二年、お互いに全く相手のことを知らずに、電子方式を選び、同じテレビ開発という道を全力で歩み始めた。そして私たち二人はその後、友人として、生涯のライバルとして、競いあい尊敬しあえるようになる。まさしく奇しき偶然であり因縁であった。

私が浜松高等工業に奉職し、横浜を引き上げて浜松に行ったのは、大正一三年の五月であった。私はまず金原徳次さんをお訪ねした。そして浜松高工の助教授になったことを報告すると、「校長先生のところへは俺が案内してやる」と言われ、連れられて校長の関口壮吉先生のところへ伺った。校長先生は、「実はもう助教授の定員はいっぱいであまり採用したくなかったのだが、どうしてもと東京工業大学から言われて、やむをえず採ったのだ」、「いったいどういう理由で浜松高工へ来たいのか」と問われた。私は、「浜松は私の郷里だからというのが一応オモテむきの理由だが、実はそうではなく、無線遠視法すなわちテレビジョンを研究し作りたいと思っているのです」と申し上げた。そして、「今、東京で始まろうとしているのはラジオというもので、放送すると家庭でいながらにして音が聞こえる。それと同じように、東京の例えば歌舞伎座から中継放送をして、音だけでなく舞台全体の様子が映画のように映って、浜松の家庭にいながら歌舞伎を楽しむことができる、これが無線遠視法です」、「私はこういう仕掛けを作るために浜松高工へ来たかったのです」と申し上げた。

校長先生が驚かれたのはひととおりではなかった。そして、ラジオですらまだ聞こえないのに――日本でラジオ放送が開始されたのは翌大正一四年三月のことである――、姿が見えるようになるなどという突拍子もないことを研究するなんて……と、ひどく私を叱られた。とんでもない人間を採用したと思われたのであろう。先生は「そんな馬鹿げたことを……」とブツブツつぶやきながら部屋の中をぐるぐる回っておられた。そしてそのうちに「しかし、もしもそれができるようになれば大変なことだ。いったい本当にできるのか」と言われ、また「どれくらい研究費があればやれるのか」と尋ねられた。私は、「一〇年、二〇年かかってもとにかくやり遂げたいし、その覚悟はできています」、「研究費はとりあえず二千円か三千円あればよいと思いま

関口壮吉校長

す」と申し上げた。

校長先生はすぐに会計主任を呼んで学校の予備の研究費がどれだけあるかを尋ねられ、開校の年でもあり研究費がすべて先任の先生方に割りふられてしまっていて予算がないことを確かめられると、「それは困ったな、じゃとにかく俺が文部省とかけあって研究費をもらってきてやるから、今からでもすぐに研究を始めなさい」と言われて、私の所属した電気科の方に、私にテレビジョン研究を許したからしかるべく援助をするようにと命じて下さったのである。

◈ 浜松高工の校風

こうして私は浜松高工で正式にテレビジョン研究ができるようになったわけで、心から感謝し嬉しく思った。当時の常識では、私はまだ二四、五歳の若輩だったのだから、主任の教授の進めておられる研究テーマのお手伝いをするのが本当であったし、まして空想・夢想にすぎないと言われてもしようのない無謀とも言え

浜松高等工業学校の全景

る研究であったから、ひたすら一途に思いつめた私に対する校長先生の理解と支援は、まさに天佑というほかなかった。

私はこの初代校長、関口壮吉先生には、どんなに感謝してもしきれない想いをそれ以来抱きつづけている。

関口先生は、浜松高等工業の開校に当って、「自由啓発」という主義を貫こうとされた。生徒に対しても、いったん入学試験にパスすれば、その後は試験はやらない、自発的に勉強し学問をするべきだ、という教育方針であった。そればかりか、学生に大いに運動を奨励して、運動でも有名校になれと励まされた。

また、教授・助教授に対しても、創造的な研究を奨励され、そこでも自由に才能を伸ばすという気風を大切にされた。そしてそうした雰囲気にも支えられて、先生方は皆親切であった。私の研究についても、電気科はもちろん機械科など各分野の先生方が、テレビジョン研究に必要な実験装置の機械的組立・加工、物理の方での真空装置の使用、度盛機械やブラウン管、化学の方での螢光物質の合成やセレニウム金属の精錬などについて、指導・援助を惜しみなく与えて下さった。

これがもし母校東京工業大学であっても、私のような若年の者では序列や機構の枠組みが厳しく、とてもこうはいかなかったに違いない。また民間会社の研究所などでは、とうていこういう夢を追うような研究が持続的にできるはずもなかったろう。私は、浜松高工という良い校風のところを得て、本当にラッキーであった。

こうして研究を始めることになったが、当時はまだ外国の文献的情報もなかなか入ってこなかったので、自分の頭だけで考えていかなくてはならなかった。

◈「スキャンニング」に挑戦――鏡の利用

さて、テレビジョンは技術的にみていくつかの局面に分けられるが、中でも重要な四段階がある。

第一は、実際の光景をカメラなどに映し出し、その映像（光）を電気に転換すること。

第二に、その電気を再び光に転換させて画像として目にみえるようにすること。

第三に、転換された、あるいは転換すべき電気を強くする、すなわち増幅すること。

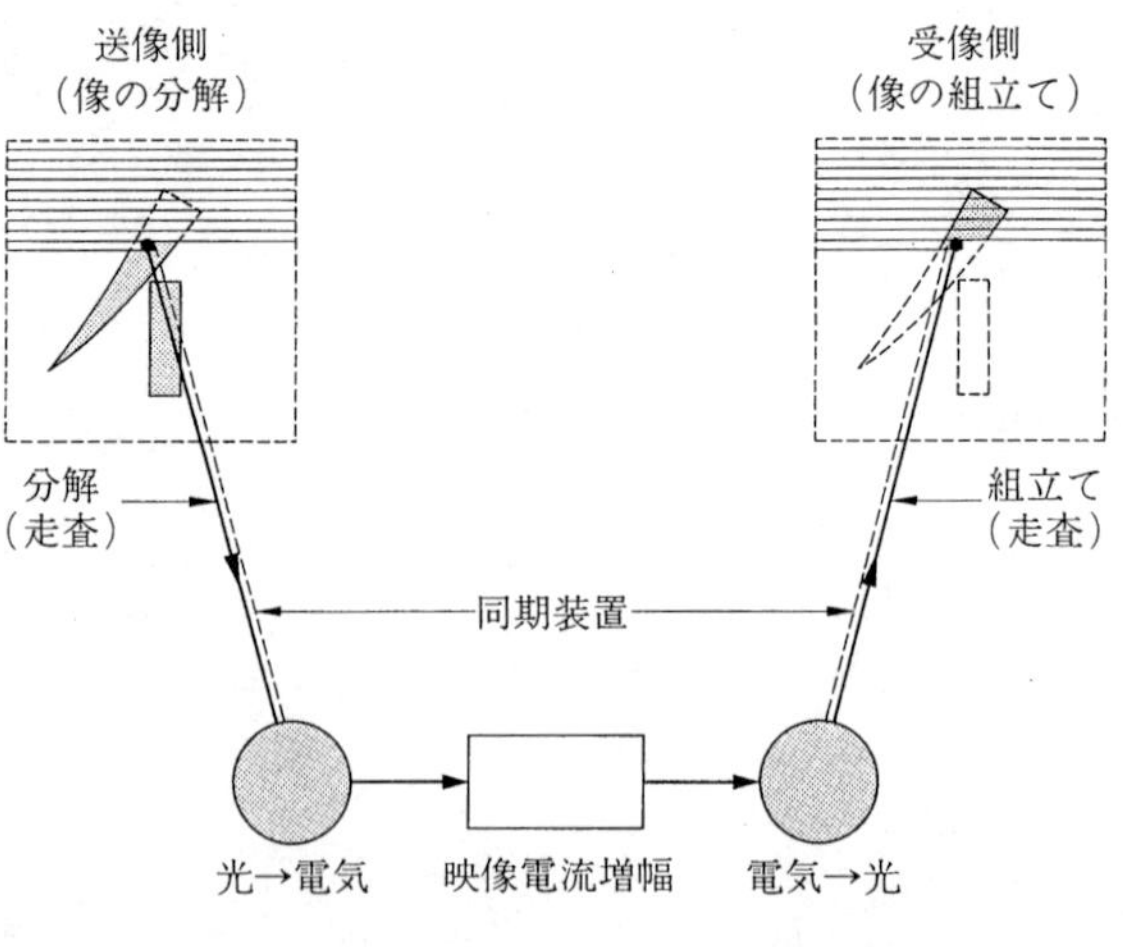

テレビジョンの原理（像を分解し再び組み立てる）

第四に、第一の撮像と第二の受像に共通して、あるいはそれらをつなぐものとしての、画の分解と再組立て走査（スキャンニング）と同期。

そして、この第四の局面こそが、テレビ独自のものであり、最大の問題だったのである。

先にも述べたが、テレビジョンに比較的類似した技術の写真電送の場合は、このスキャンニングが比較的単純である。写真をドラムに巻きつけて回転させ、光をレコードの針のような感じで一ヵ所に当てれば、光が縦なり横なりの筋となって写真をひとまわりする。それを少しずつズラしてやれば、何本かの筋に写真を切ったように分解できる。これを送る方と受ける方で同じようにやればよい。

ところがテレビは、外の景色をレンズで写した平らな光景をそのまま分解しなければならない。しかも非常な高速で分解しなくてはならない。

私はそのとき、まず、鏡を利用することを考えた。すなわち、

ネジリ鏡のアイデア（送像側）

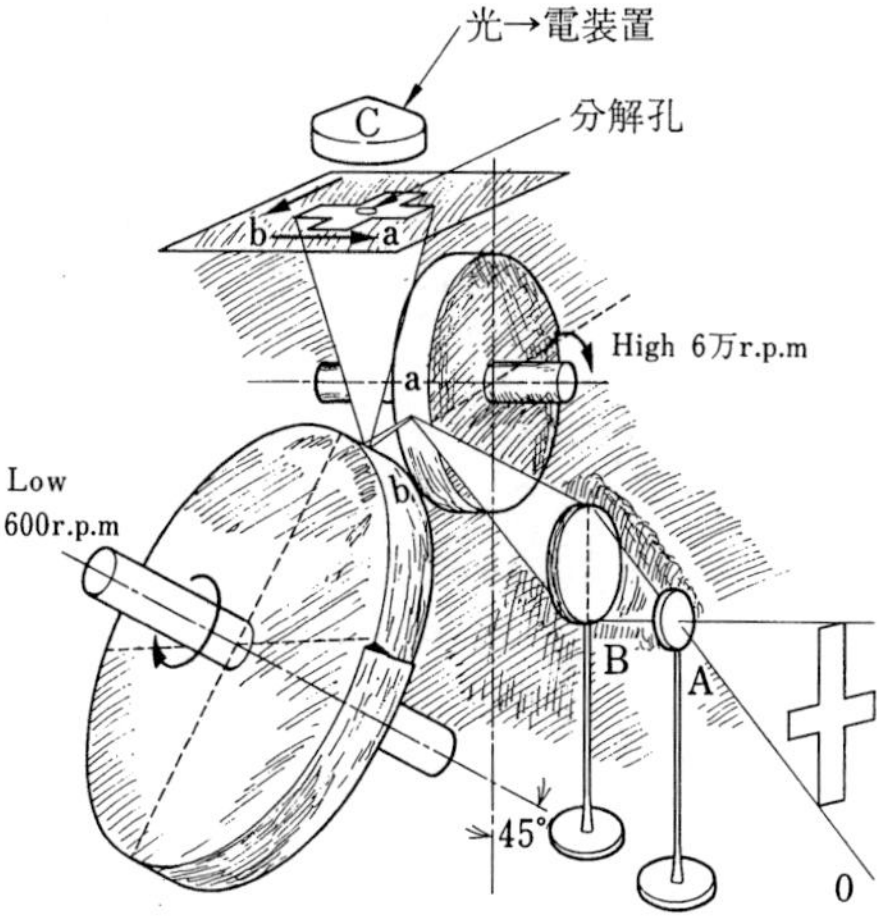

レンズから入ってきた光が映像を結ぶまでの間に鏡を入れる、鏡を振ってその光をスリットの小さい穴を通して受ければ、鏡が揺れるとその小さなスリット状の像も揺れる、これを縦横に揺らせばよいと思ったのである。

そして、その鏡は多面的でないといけないが、そのつなぎめが困るからというので、ネジリ鏡というものを考案し、それを二つ組み合わせて、一つはゆっくり、もう一つは早く回して像を分解してはどうかなどと、とにかくその時なりに色々と工夫したのである。

鏡を利用する方法は、実は機械式テレビジョンのうちの一方の有力な方法であり、その後も発達していくのである。私はそれを後から知る。すなわち、新しくオープンした浜松高工の図書館に、ドイツ留学中の田中先生から沢山のドイツ語の書籍や雑誌が届いた。そしてその中に、オーストリーのエル・ミハリーという人の『ダス・テレホール』という著書があった。それは、テレビジョンの実験をし、それをまとめた本なのである。驚いてよく読

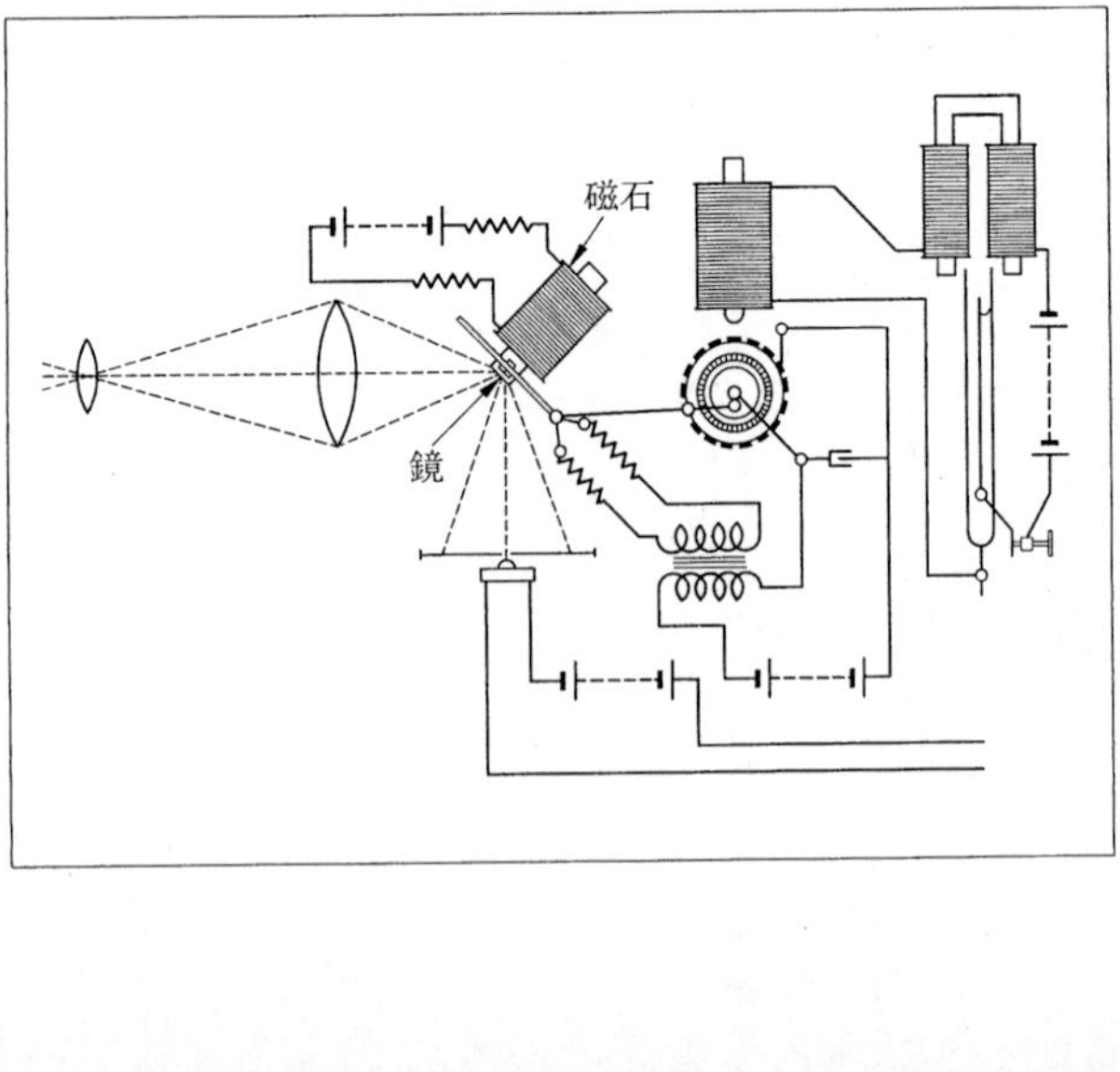

ミハリーの装置（送像側）

むと、その仕組みは次のようであった。

それは、まず送・受両方とも同じ方式である。すなわち送像側と逆のルートを受像側は辿ることになる。そして、私のアイデアと同じく鏡を使用する。それは数ミリ角の非常に小さな鏡で、その縦方向と横方向に導線を引いて電流を通すようになっている。片方に早い交流電流を流すと、磁石があって、電流の行きと帰りで違った向きに力が働く、すなわちフレミングの法則に従って鏡が電流に応じて揺れる。そうすれば、一方向から長い焦点距離のレンズを使って光のスポットを送ると、そのスポットが鏡で反射して壁のところに筋を描く。左右に振動して次に上下に動けば、筋を集めて面を作り、像を描くことができる。

ミハリーは、このようにスキャンナー（走査機）として振動鏡を用いることを研究し、一番簡単な像ということで十字架の像の送受に成功したのである。それが、大正一三年の七月ごろにドイツから届いた本にあったわけである。実験はその一年ほど前だったのだから、私は、オーストリーはずいぶん早く進んだな、と感心した。

◈ ベアードの発明とニポーの円板

また、同じ年の八月ごろだと思うが、イギリスから来ている『ワイヤレス・ウォー

P・ニプコー

ルド』という雑誌に、J・L・ベアードという発明家がテレビジョンの実験に成功したという記事があって、また驚かされた。

この人は、これ以後機械式のテレビで名をなす人である。彼の実験も最初は十字架を映し出したのだが、スキャンナーには回転円板が用いられていた。それはニプコー（ニポー）の円板と呼ばれるもので、円板の周りに小さな穴を渦巻き型に配列してあけてある。送受両方に同じ穴のあいた円板を用意し、送る方ではその円板の穴を通った光を利用してそれを光電装置を用いて電気に変え、受ける方はそれに応じた光を明滅させ、それを小さな三センチ四方くらいの画面に映し出し、のぞいてながめる。

円板はモーターで一秒間に一二回ほどのスピードで回す。穴の数は、等分するのに便利な三二個とした。

また受ける方の光は、全体が明滅するネオン管（グロー・ディスチャージ）を用いた。すなわち、画面大の板の中にネオンガスを入れて、平行に並べたアルミニウムの電極二枚に電圧をかけると全面が明るくなる。これを明滅させ、円板の穴を通して画面に

ベアードの初期のテレビジョン

映し出すと、刻みこみができて、濃淡で描く画像が描き出せるのである。

ベアードさんは、こうして白十字を映すのに成功するが、最初は、前ページの写真のように送る方の円板と受ける方の円板とを同じ棒の軸で結んで回転を等しくしようとするなど、本当にプリミティブなものであった。これをベアードさんは色々と改良していくのだが、とにかくこの実験の成功は、当時大センセーションを巻きおこしたのである。

私が考えていたものは、ミハリーさんと同じく鏡を使うものだったが、このベアードさんの円板方式は非常に面白いと思った。そしてこの方式を熱心に研究するようになった。

なお、私は当時この円板がベアードさんの発明によるものと思っていたが、実はそうではなく、ニプコー（ニポー）というベルリン大学の物理学専攻の学生が一八八四（明治一七）年に既に考案したものであることが後にわかった。ニプコーは、アメリカでベルが電話を発明したとの報道に刺激されて、テレビジョンの

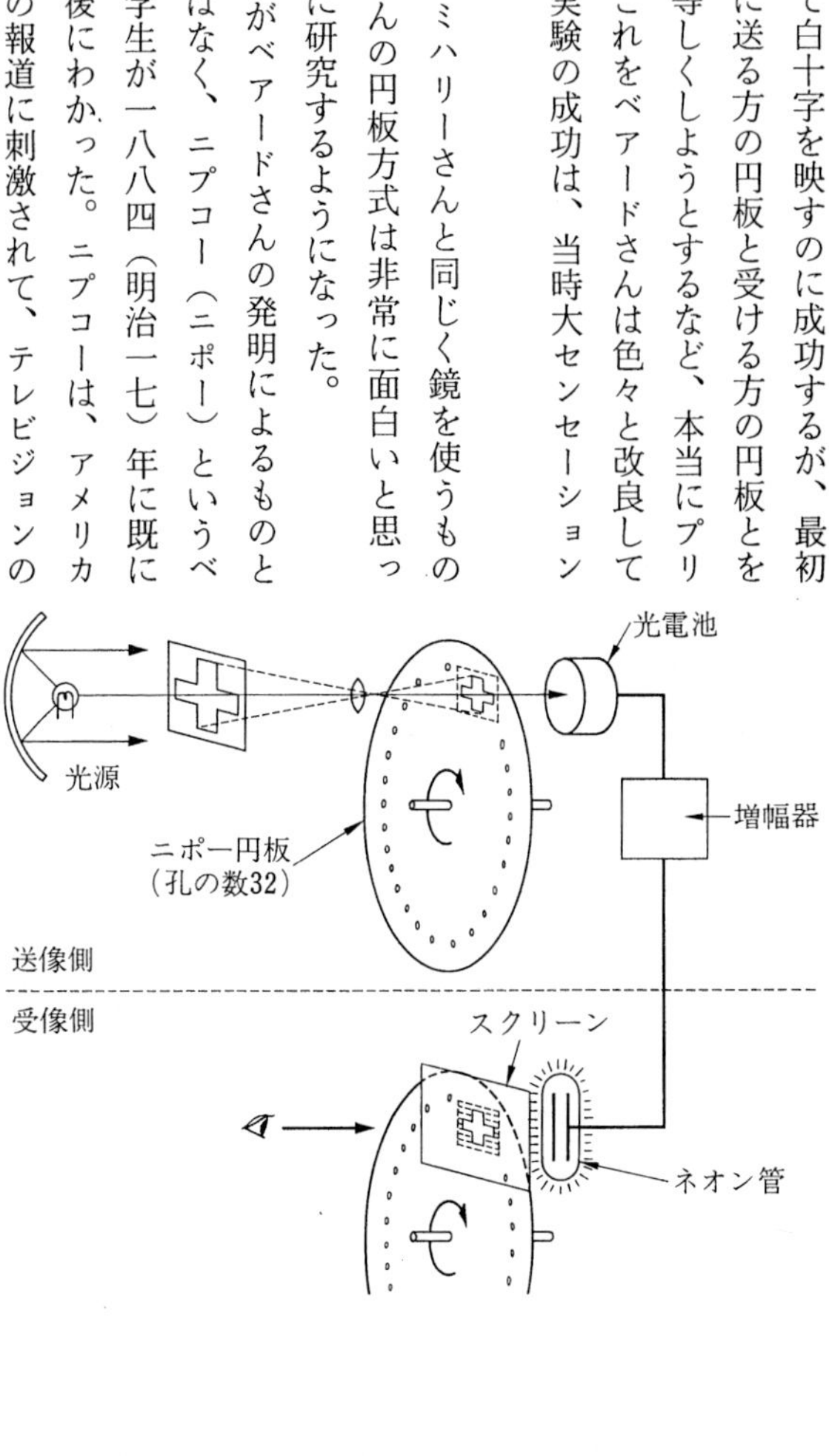

ベアードのテレビの仕組み

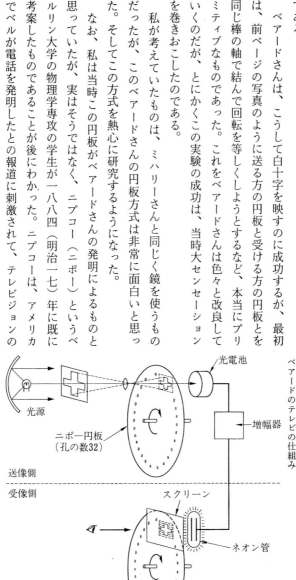

研究をし、その原理を考え出したのである。これが、機械式ではあるが、テレビジョンの装置としては最初の具体的考案であった。

しかしニプコーの時代にはまだ光と電気とを相互に変換するよい装置や電気を増幅する方法がなかった。従ってニプコーは、送る方ではセレニウム金属が光に応答するという性格の利用を想像し、受ける方ではファラデー効果という現象を利用するというような装置を考えたけれども、それを実験することはできなかった。そして、パテントだけは出願して、残ったのである。

◈ さまざまなアイデア

鏡を使う方法も古くからあった。それはドイツのワイラーという人が一八八九（明治二二）年に発明したものであり、ワイラー鏡車と呼ばれるものである。これは、ドラムの上に沢山の鏡をリング状にはりつけ、光を一方から送り出して鏡に反射させて壁に映すと、鏡を回してやれば光の点は弧を描く。鏡を少しずつねじってはりつければ、弧の位置を上下へ順に少しずつズラしていくことができる。一枚の画を送るのにドラムを一回転させればよい。これは非常に簡単な理屈だが面白い。沢山の光を利用して一点に集めるには良い方法である。ただ、大きなドラムを使わないと、鏡の描く

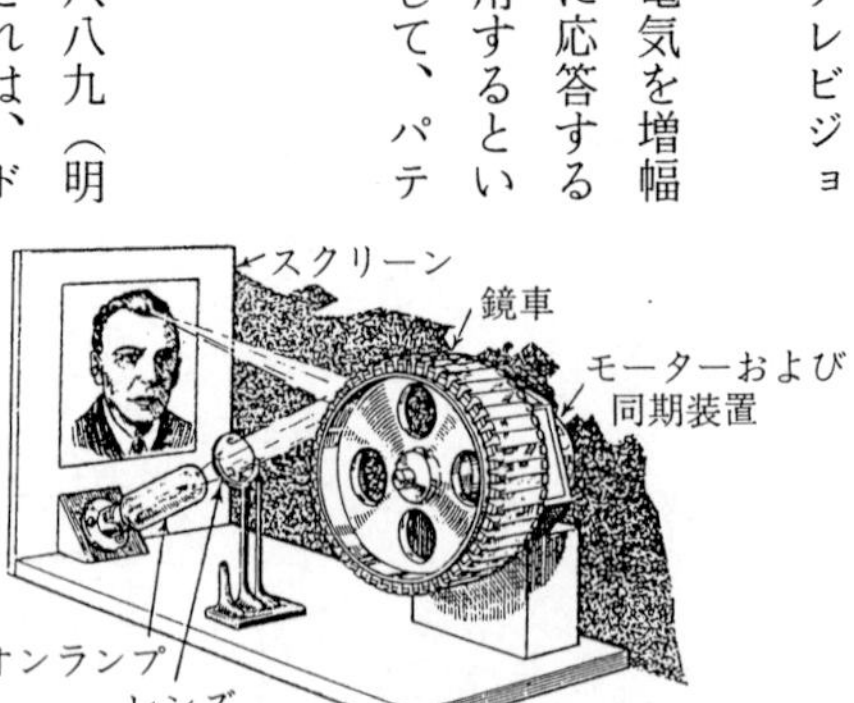

ワイラー鏡車を用いた受像装置

弧が小さくて具合が悪かった。

こうして、ベルによる電話の発明が刺激となって、色々なテレビのアイデアが出てきて、実行はできなかったが、パテントとしては成立していたのである。日本人は、そういう方法に気がつきさえせず、西洋から電信とか電話とかを輸入することに汲々としていたのだから、彼我の違いはきわめて大きかったと言える。

しかし、西欧の人といえども、考えつきはしたものの、光電装置もなければ（先に挙げた第一の局面）、弱い電流を増幅し強くするアンプリファイアもない（第三の局面）ということで、実験ができないまま研究は放棄され、埋もれてしまって、普通の人は忘れてしまっていた。しかし西欧の研究者間では、そのアイデアは生きつづけ、真空管など実現に必要な道具が生まれると研究はまた世に姿を表わしたのである。

こうした実験の例をもう一つ紹介しておこう。それはアメリカの有名な発明家ジェンキンスさんのものである。それはドラム・スキャンナーというもので、ニプコーの円盤とは異なり、ドラムの上に斜めに沢山の穴をあけたベルト鋼を巻きつけ、それを回転させるものである。ジェンキンスさんは光の効率を高めるために、ドラムの中心のランプの所から外側の穴のところまで、クォーツの棒を穴の数だけ植えこんで光を誘導するという、今の光ファイバー・テクニックをほうふつとさせるものなど、優れ

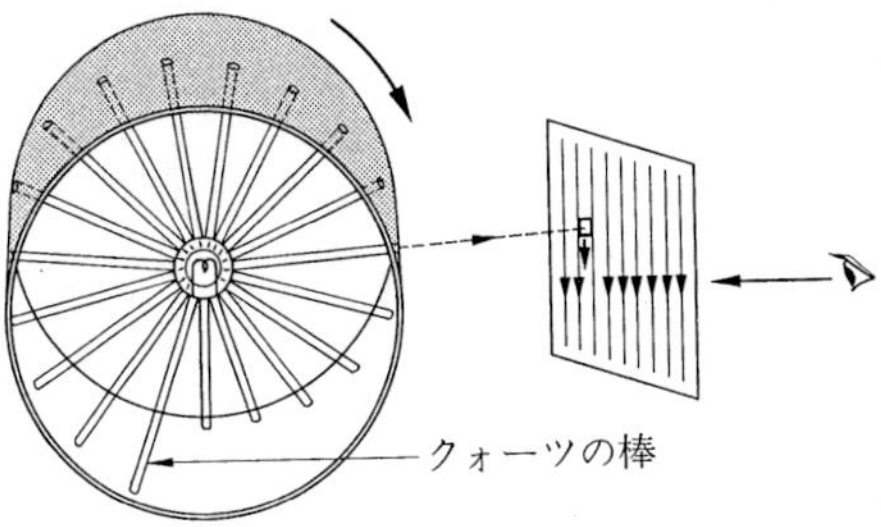

ジェンキンス氏のドラム・スキャンナー

たアイデア・工夫を加えている。しかし、ジェンキンスさんのものは、構造が複雑でひどく凝ったものであり、結局実用的なものとしては成功しなかった。

一方、ベアードさんの方は、ネオン・ランプの板を光らせ、その光を小さな穴から拾って画をつくるということで、たいへん沢山のエネルギー（電力）を使うのに画像が暗いなどの弱点はあったが、装置が簡単で、比較的容易に映像が写し出せた。そしてのちに色々と改良して、商品としてテレバイザーというものを作った。それは、三〇本の筋で、大写しなら顔がなんとか見えるところまで発達していった。

しかもベアードさんは、のちに一九二九（昭和四）年には、BBC（英国放送協会）を説得して、ラジオの電波を一つもらい、それで画像をロンドン市中に送り、テレバイザーによる実験放送を行なうまでになる。その放送は一九三五年に電子式の放送が始まるまで続けられることになるが、その間、ベアード社製のテレバイザーは英国の中でもかなり売れ、米国にも輸出された。日本

ベアード氏のテレバイザー

でも買った方がいる。ベアードさんは、少しぐらい画が不十分でもかまわないという感じで、このプリミティブではあるが、メカニカルなものとしては進んだ方式を、どんどん推しすすめていったのである。

◈電子式テレビへの転換

さて、話を大正一三年の私に戻そう。こうしたさまざまな実験の報告にふれて、今まで自分だけがテレビジョンの研究をしていると思っていた私は、非常に驚いた。しかし、それらの研究報告を読んだり、自分自身も、ネジリ鏡というふうなスキャナーを考案したりしていたのだが、どうしてもメカニカルな方式には限界があるように思えた。幼稚なうちはどういう方法でもできるが、複雑な映像を出そうとすれば、どうしても壁にぶつかってしまうように思ったのである。

私は当時エジソンを発明王として大いに尊敬、いや崇拝し、その肖像写真を壁にかけてしょっちゅう眺めていたが、その印刷された写真はドットによって作られている。そのドットを勘定してみると百万粒ほどもある。いくらラフな写真にしても三〇万から四〇万個のドットがある。これだけの数の点を一つ一つ順に送って目の中の残像がありフリッカー（ちらつき）を感じないように写すには、大変なスピードがいる。これをメカニカルなものでなしうるのか。

たとえばニポーの円板で考えてみると、走査線三〇本くらいなら、直径六〇センチほどの円板ですんだとしても、それを一〇〇本にしたとすると、穴と穴との距離が三分の一になるから画の大きさも三分の一になり、三〇〇本なら一〇分の一ほどとなってしまう。つまり、画を詳しくすればするほど逆に画が小さくなってしまう。では円板を大きくするかというと、そうもいかない。それで円板の穴のあけ方を改良して、二回転で一つの絵を送るようにすると、同じ鮮明度なら二倍大きい画ができるといった改良をした人もいる（アメリカのサノブリヤーさん、日本の曽根有さん）。しかしそれは、円板を回すスピードを二倍に増やさねばならない。すると材料が引きちぎれたり、揺すられたりする。まして、受像の方で回転鏡を使ったりすると、まるで水車のような大きなドラムでやらなくてはならない。

私は、これらを考えあわせて、機械的な方式はどうみても無理だと結論づけた。そして、その方式を見限り、全く別の考え方によるテレビジョンの実現へとはっきりと方向を見定めた。その方式は、機械式に比べて画は精密で美しく、騒音はなく、電力消費も少なく、……あらゆる意味で優れているはずであった。

さて、メカニカルな方式に見切りをつけた私は、真空の中を走る電子=陰極線こそが、自分の要求を満たすものなのではないかと考えるようになった。この電子線ならば、外からマグネットや電圧をかけてやれば、上下左右、しかも瞬間的に、自由自在に動かすことが原理的には可能だと思えたのである。

◈ ブラウン管に注目

しかし、そのような電子線をうまく発生させるものが作りうるのだろうか。実はここに重要な手がかりを与えてくれるものがあった。それは、以前から物理実験で測定機器として使われていたブラウン管と呼ばれる真空管であった。

このブラウン管は、ドイツのK・F・ブラウンという人が一八九七（明治三〇）年に物理の測定装置として発明したものである。すなわち、真空の中で電子を走らせ、その途中に磁石をおいたり電圧をかけたりすると電子の走る方向が変わるという性質を用い、その変わる感度を測って、電磁量と質量との比を調べようという実験機械である。

すなわち、空気を抜いた管の中に金属の板を二枚並べ、その間に高い電圧をかけると放電が起きる。そのとき管の中の真空度が低くガスが残っていると、放電で起きたあたりのガスが電離されて電子が飛び出る。電子はマイナスだから、陽極の方へ走っ

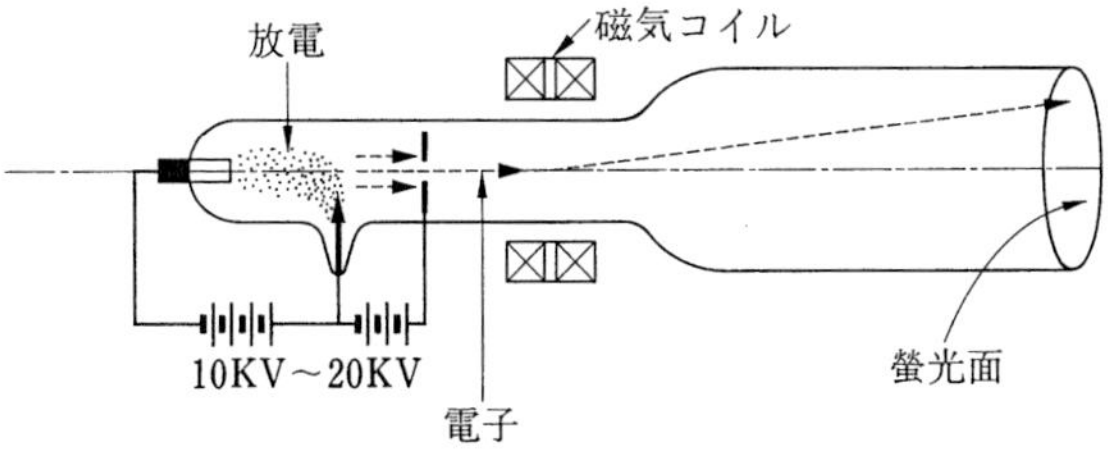

ブラウンの発明したブラウン管

ていく――陰極線が発生する。陽極に穴をあけておくと電子はそれを通りぬけて、前面にあるガラス板に当り、それに塗られた螢光物質を光らせる。そしてその電子が走っていく途上に磁石をおくと、陰極線が曲がって、光の位置も変わるわけである。

私は、浜松高工の実験室にあった物理の測定用のブラウン管を使って自分の考えを試した。真空ポンプで空気を抜きながら電圧をかけ放電させて螢光板を光らせてみた。陽極の穴が大きいから、まんじゅうみたいな光点が出るのだが、これにマグネットを近づけると光のまんじゅう＝電子が移動するのがはっきりとわかるのである。

もちろん、そんな大きな光点で画を描くことはできない。これを極く小さなワンポイントに集中させなければならない。また、光の強さ弱さを自由にコントロールできなくてはならない。こうした難問を解決する方法はもとより皆目見当もつかなかったが、とにかく、陰極線を磁力で振りまわしてスキャンニングするという可能性だけは確認できたのである。

私はこうして、電子的なスキャンニングを用いれば、送像も受像も、大きな機械を回転させたりする必要はなく、いや全く動かない真空管の中で音もなく始末することができる、光のポイントもあの小さな「電子」の作用を使う以上、必ず極小なものにできるはずであり、将来はどんな詳しい映像でも送受できるようになる、と信じるよ

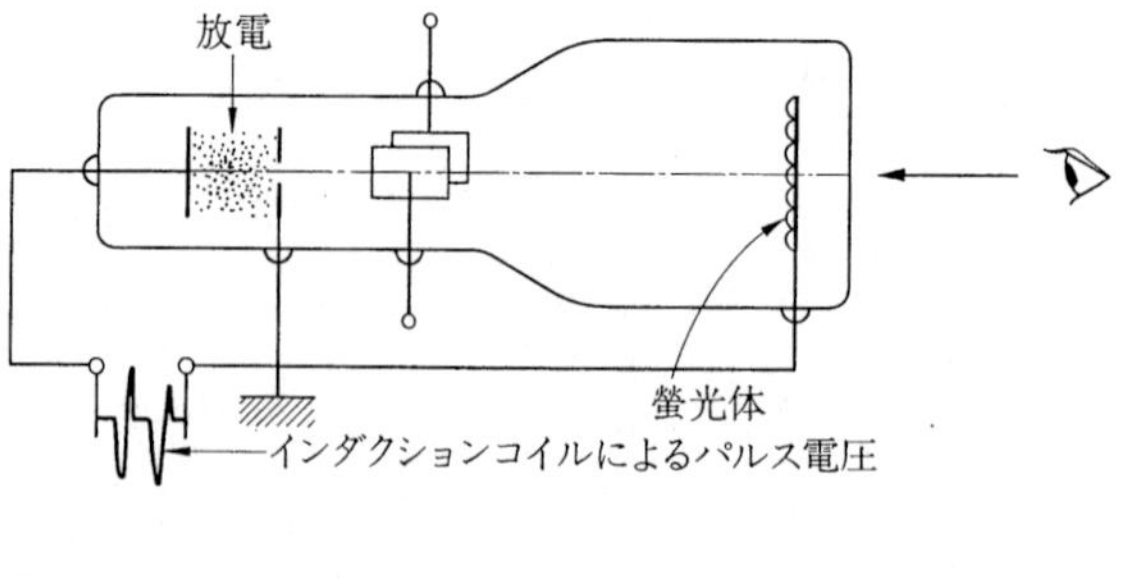

当時の浜松高工物理実験室のブラウン管

うになった。そして大正一三年の暮以後、実験を重ねることになる。

なお、当時、私の決心を支えてくれる二つのできごとがあった。

一つは、電気科の教授の山田次郎さんがドイツから輸入した「カソードレイ・オシロスコープ」という機械を見たことである。これはドイツのジーメンスが作った雷の研究のための機械で、高圧の電流をかけてパチンと放電させた時の電気の流れ方を写真に撮って、グラフのように示そうというものである。金属でできたブラウン管であり、その底の部分に写真のフィルムを置き、陰極線を当てて感光させるのだが、その陰極線の途中に偏向板をおいて雷の信号を捉えて加えるのである。パッと高圧の放電が起きると、陰極線が揺れて、感光面にグラフを書くのだと思えばよい。

この機械をみて、私はドイツの技術が進んでいることに感心したものである。すなわち、写真の乾板（フィルム）を装着するのに、ブラウン管の底を金属の網の目で作り、その外側にセロハンのようなものをはりつけ、その外側に乾板を密着させるようになっている。ブラウン管の空気を真空ポンプで抜くと、セロハンは金属の網の目に支えられて密着して平面となり、乾板も楽に装着できるというわけである。そして、放電して生じた電子は網の目を抜け、セロハンを抜けて感光面に当たるのだが、そのとき、今までの普通のブラウン管と違って電子は一点に収斂し、きれいなスポットを描くのである。

私はこれから大きなヒントを得た。私は、送像の方では乾板のかわりに光電物質をおいて信号をとり出す工夫をし、受像の方では螢光物質をおいて画を描かせればよいと考え、さらに考えを具体化していったのである。

もう一つ私を刺激してくれたのは、キャンベル・スウィントンというイギリス人が一九一一(明治四四)年に書いた論文のリプリントを『ワイヤレス・ウォールド』というアマチュア雑誌で読んだことである。それまで私は、全電子式テレビというのは私だけの考えだと思っていたのだが、スウィントンさんは一〇年以上も前に全電子式という同じ発想を、まったくプリミティブで空想の域を出るものでないとはいえ、発表していたわけである。私はこの論文を読んで自分の方向の正しさに確信をもつようになり、大いに意を強くしたことであった。

なお私は当時知らなかったが、スウィントンさんと同じ一九一一年に、ロシアのレニングラードでロージングという教授がやはり同じような部分(受像にだけ)電子方式のテレビジョンを提案している。このロージングさんは、後で詳しく紹介するツヴォルィキン博士が指導を受けた方であり、ツヴォルィキンさんの全電子方式への志はここに始まっていたわけである。ツヴォルィキンさんがテレビの研究を開始したの

C・スウィントン

は一九二三年で、私とほぼ同時であるが、それぞれに示唆や励ましを与えた先行する二つの研究もまた同じ年に発表されているのは、全く因縁深いことに思える。

こうして私は、送受とも陰極線を使うという全電子方式のテレビジョンの開発を始めたが、文字どおり何から何まで自分で考えなくてはならなかった。スウィントンさんの研究は全く具体的には参考にならないし、このころツヴォルィキンさんがアメリカで同じ研究をしているとは、お互いに知るよしもなかった。

◈ セレニウム・セルの不効率

私はテレビ用ブラウン管について来る日も来る日もひたすら考えた。当時、安間の自宅から浜松高工まで東海道沿いの軽便鉄道で通っていたが、終電車での帰りに考えに耽りこんでしまって終点駅（仲野町）まで乗りすごし、何キロも歩いて戻るということが度々あった。

送受両方とも困難を極めたが、とりわけ送像側は、出発の手がかりにさえ乏しかった。送像側で考えるべきことは、いかにしてカメラから入ってきた光の情報を電気の情報に変換するか、すなわち撮像用ブラウン管を作りだすかである。

この当時発見されていた光電効果としては、セレニウムという金属に光が当ると抵抗が下がって電気が通りやすくなる——導電性が高まる——という性質を利用したもの（セレニウム・セル）と、エジソンの発明になるもので、金属の表面に光が当るとそこから光電子が放出されるという現象（外部光電効果）という二つがあったが、後者の外部光電効果の方はまだあまり知られていなかった。そこで私は、セレニウム・セルを使おうと考えた。ところが、セレニウム・セルの欠点は、感度がひどく低く、光が当ってから抵抗が下がって導電性が高まるまでに時間がかかる——逆に暗くなってもすぐには電流が切れない——ということであった。

すなわち、セレニウム・セルでは、セレニウムに光が当ると、光の微粒子がいくつかの原子層の中に浸透していって、それからセレニウム金属が電子を放出する。その電子がまた色々な原子層に出てきて、そこに貯まり、両端についている電極の間を移動しやすくなる、ということが起きるのだが、それには時間がかかり、また光を消しても残留電子があってしばらくは電子が流れ、光を感じるのにも数十分の一秒くらいかかるし、光を消してからも数十分の一、二秒もの残光性があるのである。だから、一秒間に一万回も変化する光が当ったときは、その変化に対応できるはずもない。そしてテレビこそが、そういう激しい変化を要求するものなのである。

私は将来この弱点をうまく逆利用して積分法による撮像管を考案するのだが、当初

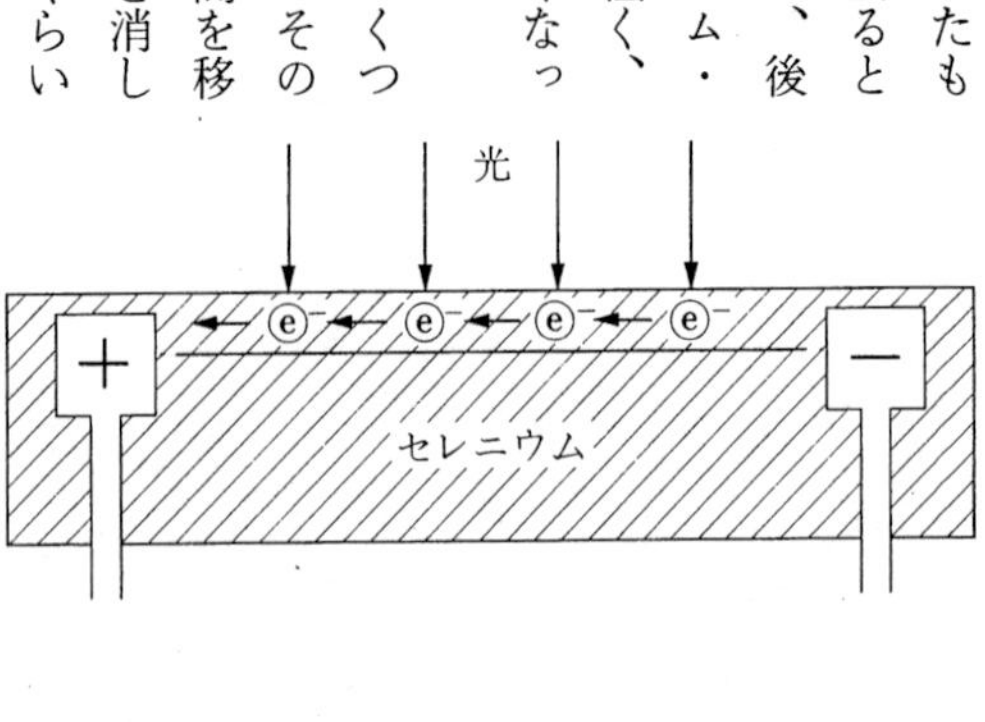

セレニウム・セルの原理

はこの問題の解決が最大の難関だった。

◈ 新撮像管のアイデア

私は、撮像用ブラウン管の研究を具体的に始めるに当って、このセレニウムについて色々と研究した。そして化学科へ行って色々と調べてもらい、日本にはなかったので、ドイツから化学の先生にビン入りのセレニウムを三つか四つ取り寄せてもらった。これを徹底的に調べてわかったことは次のようなことであった。

セレニウムを高温でねっとりさせて固め、その中に電極を埋めて低温でセレニウムをなますと結晶し、光を当てると導電性が増える。しかしその時にセレニウムが鈍くしか応答しないのは、光に当たった時に変化するところというのが、セレニウムの固まりのうちのほんのうすい表面――なんと数十原子層――だけでしかないからだとわかった。ところが、それまでのセレニウム・セルは、厚いセレニウムの固まりの表面のみを利用しているのに、その表面を横にするから距離が遠くて、抵抗の変化を直接的に敏感に利用できなかったのである。

そこで私は、その表面の層だけとり出し、四〇～五〇の原子層で〇・〇五ミクロンぐらいの、ほとんど透明なものとして、それをサンドイッチのように、二つの電極ではさめばよいと考えた。ところがそのうちの一つ（被写体側）は、セレニウムに光を当てるのを妨げないようなものでなくてはならない。私はそれを、網の目状の電極か透明金属でできた電極にすればよいと考えたのである。そしてもう一方の電極に当るものにスキャニングの仕事をさせなくてはならない。それを私は、真空管の中を走る電子線にさせようとしたのである。

真空管の中で発生した陰極線がセレニウムの薄層にぶつかった時に、ちょうどその場所のセレニウムが光を受けて導電性を高めていれば、電子はセレニウムの膜を通過してレンズ側の極に達し、電流が流れる。光が当っていないところは、絶縁になって、いくら電子線をぶつけても電流は通らない。

私はこういうアイデアを固めあげて、図に示したような撮像用ブラウン管を発明したのである。これは今から思うと、まさに大発明というべきものであった。結果としてはこの原理はこの時点では実用化にいたらなかったが、その時に解決しえなかった技術問題を解決することによって、戦後、撮像管の最も優れた方式の

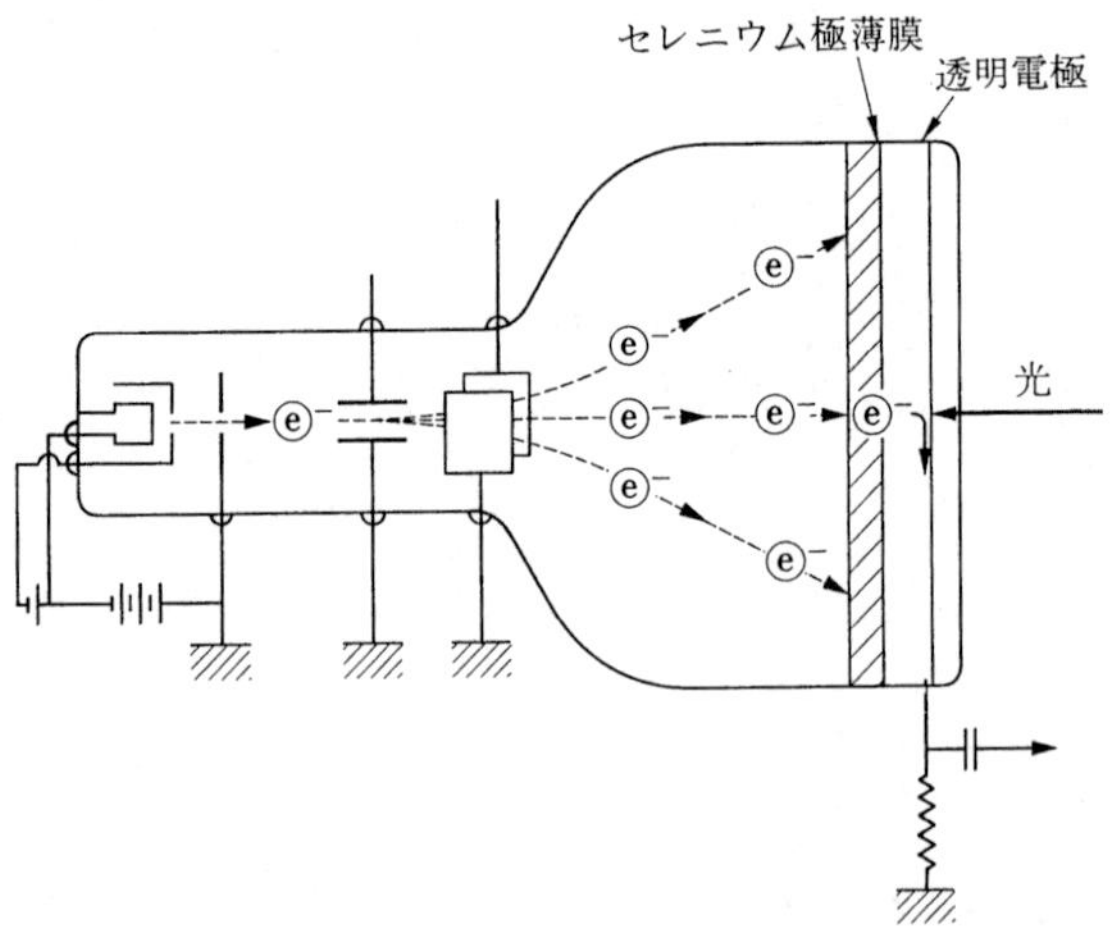

新光電装置のアイデア

一つであるビジコン管として復活したのである。すなわち、いちばん最初に考えたものが、最も現在に近いものだったのである。

◈挫　折

この原理を発明したあと私はいよいよその試作に入ろうと実験をつづけた。まずドイツから取り寄せたセレニウムを蒸発させて、金属の板の表面にくっつけて薄い膜とし、効率よい光電装置を作ろうとした。しかしそれは本当にむずかしかった。セレニウムのガスが有毒であって注意が必要なことも手伝い、作業は遅々として進まなかった。

また、真空ポンプを買ってもらったが、当時私は真空技術の知識に乏しく、まずガラス管内を真空にすること自体が難しかったのである。当時の真空ポンプはロータリー・ポンプといって、約一〇〇〇ミリバールという大気圧から始まって一〇のマイナス四乗・五乗ミリバールというレベルへ持ってゆきたいのだが、マイナス二乗くらいが限度であった。真空が漏れたり、器のガラスの中のガスが出てきたりして、いくらポンプをまわしても空気が抜けず、高真空下での諸現象を確かめるということは難しかった。ポンプ技術も悪く、すべての実験が中途半端に終わったのである。

こうした状況が半年ほども続いたが、全くうまくいかず困ってしまった。そればかりでなく、主任教授などからは、「こんな実験をやってもものになりそうにない。やめてしまえ」といわれて、研究室を取り上げられてしまった。実験もできず、研究費も中断してしまったのである。

実は、この時すでに、私が浜松高工に奉職して以来大変にバックアップして下さった関口校長は病気で亡くなってしまっておられた。そして主任教授は、ドイツへの留学経験もお持ちの気鋭の方であった。彼は私の研究の状況を冷徹に見て厳しい判断を下したのである。

こうして電子式撮像管の試作は、ここで大きな挫折を味わうことになったのである。

◈ 受像用ブラウン管の原理

しかし、幸いなことに、受像管の研究の方は順調に進んだ。ジーメンスのカソードレイ・オシロスコープを手がかりに、受像用ブラウン管を創り出そうとしたのである。

まず電子を発生させる方法であるが、ジーメンスのオシロスコープはコールド・エミッションといって、反応コイルにより一瞬の間に非常に高い電圧をかけて、いわゆるガス放電で電子を発生させるから、雷のような瞬間の現像を見るにはよいが、電圧が変動するため、テレビのような繊細な画を描くことはとてもできない。テレビでは、長い時間にわたってずっと電圧を一定にしておかないと画がふらついたり濃淡ができたりしてしまうのである。従って反応コイルは不適当であり、一定の電圧でしかも直流で電圧をかけなくてはならない。

ということで、電子を発生させるのは、コールド・エミッションではなくてホット・エミッションを使うことにした。すなわち、普通の受信真空管のようにフィラメントを熱して電子を飛び出させるのである。しかし、この方法では、タングステンを強く輝かせて電子を放出させようとするから、普通の電灯のランプと同じように明るく光っている。だから、ブラウン管の螢光面にせっかく絵が出ても、陰極の光で隠されてしまって見えはしない。これでは使えない。

そこで私はまた良い方法を探さねばならなかった。そしてちょうどそのころアメリカのベル研究所が発明した電子を放出させる方法に注目し、それを応用することにした。それは、陰極にタングステンのかわりにニッケル・リボンを使い、それを酸化物質で薄くコーティングして、ほの明るい程度に熱すると電子がとび出るというものであった。これならば、ホット・エミッションではあるが、低温なので、光の問題が生じないのである。

　次の問題は、螢光面で光をいかに小さなスポットにするかである。これは、ブラウン管の中を完全な真空ではなく少しガスが入っている状態にした方がよいことがわかって解決した。

　第三は制御の方法である。これもよく考えて、陰極と陽極の間に電子制御電極を入れて、陰極で発生した電子のうち陽極に向かうものの量をここでコントロールすることにした。これで明るさ・暗さを変化させたわけである。

　こうして、大正一三年半ばに私が撮像管のアイデアとともに発明考案したテレビ受像用ブラウン管の原理は、既に現在のものの原型であった。

◈ 受像用ブラウン管試作第一号

　私は早速これを試作しようとした。しかし、当時の私は徒手空拳に近かった。まず、優れた螢光物質を入手し、それをブラウン管の

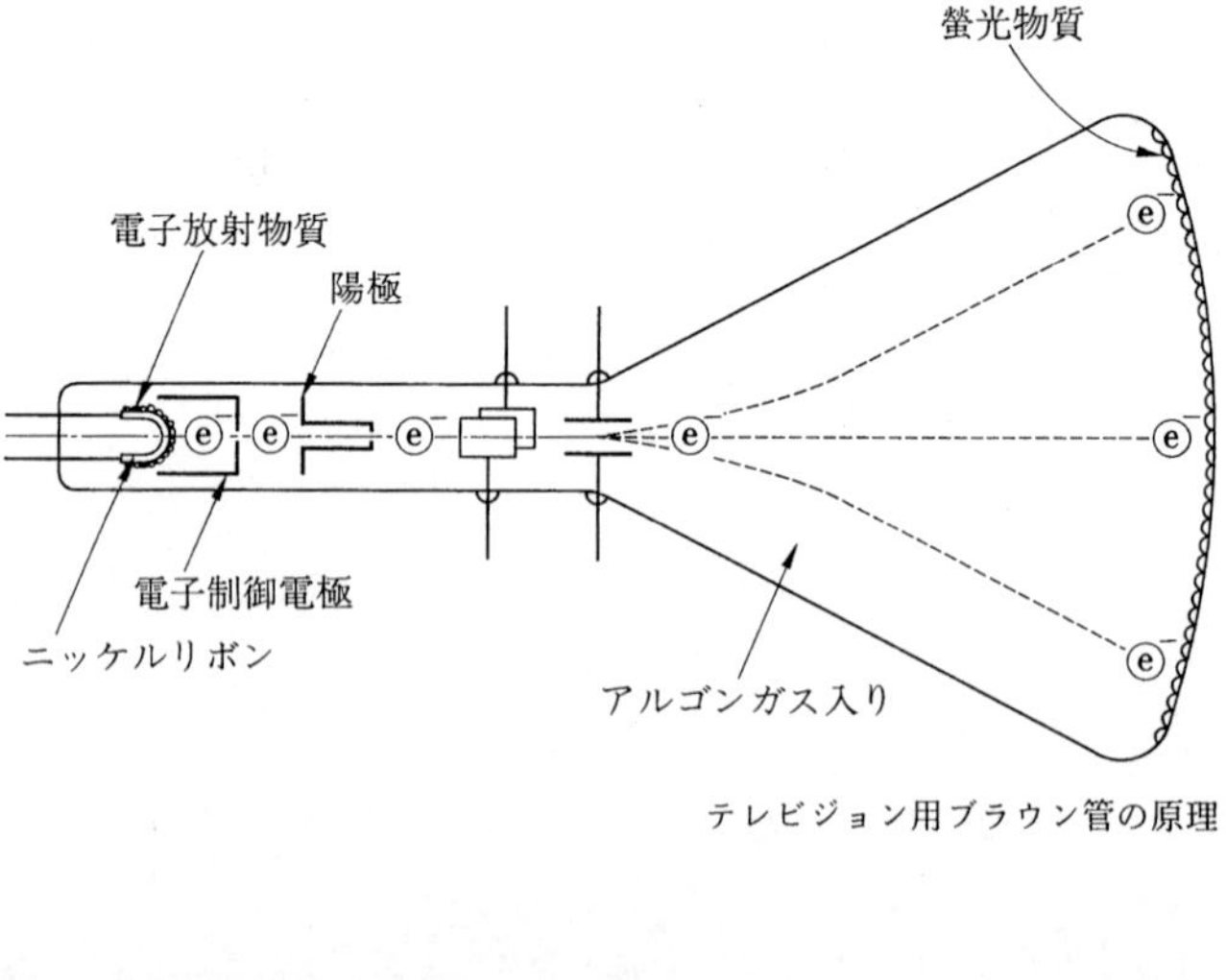

テレビジョン用ブラウン管の原理

内側に均一に塗るということがとても無理だし、エミッションの電極部分は非常に秘密にされていて、自分では作れない。どうしても専門の方にお願いした方がよいということで、大正一三年の末に、当時の芝浦電気株式会社（今の東芝）の総合研究所の所長だった宗正治さんという方を訪ねて、試作を依頼した。大変に厄介なお願いをしたのだが、承諾していただいて、本当に嬉しく思ったものである。

実際に担当して下さったのは、浅尾荘一郎さんという技師であった。浅尾博士とはこの後、緊密な協力関係がつづき、重要な発明もしていただくことになる。

そして、大正一四年一〇月、ブラウン管試作第一号ができ上がる。撮像管の方は試作に失敗していて研究をさしとめられ落胆していた私は、この受像管ができて大変に喜んだ。そして何はさておき早速にそれを暗室へもちこんで実験した。スイッチを入れると、螢光膜の上にスポットがパッと浮かび上がる。そして陽極のところに偏向板をおいて電圧をかけると、自由自在・縦横にスポットが動く。またこの螢光の光は、グリッドに電圧をかけると、真空管で四〜五ボルトマイナスをかけると同じように消えてしまい、自由に明滅ができる。受像管についての私の考案は正しかった。成功したのである！

◈結　婚

なおテレビジョン技術の内容から少し離れるが、ちょうどこのころ私は結婚している。そこでぜひ、糟糠の妻さくについてふれておきたいと思う。さくとの出会いは私の研究生活にとっても大切なできごとであった。妻が、貧しい家計をやりくりし、子どもたちを立派に教育し育ててくれたからこそ、私は後顧のうれいなく研究に没頭することができたのである。

大正一四年一月、掛塚小学校の教頭の安達先生から、「弟や妹の面倒をよく見る良い娘がいるがどうか」という話があり、その小学校の作法室で見合いをした。額が広く耳たぶが大きいいわゆる福相が気にいったうえ、気さくではっきりものをいう積極性があり、私の方はいっぺんでその気になってしまった。彼女は磐田郡掛塚町江口の地主長谷川万太郎の三女であり、浜松市立高等女学校を卒業していた。私のような「やせた田舎のやぼな」貧乏教師に嫁ぐこともなかったが、父親に日頃から「身代のあるバカ息子のところへ行くより、スカンピンでも将来何ごとかをなしとげる人間のところへ行った方が幸せだ」と説かれていたこともあって、思いきって私のところへくることを承知してくれた。

昭和の初めに妻さくと

こうして私たちは、私が二六歳、妻が二〇歳の大正一四年四月に挙式した。新婚旅行もしない慎ましい結婚式であった。私たちはその後三人の子をもうけた。長女たづ子（大正一五年生れ）、長男俊（昭和三年生れ）、次男暁（昭和六年生れ）である。

◈機械式送像方式への一時的転換

さて、これだけの立派な受像管ができたとなると、当然のことながら実際に絵を出したくてしょうがない。そこでまた研究を再開した。

ところが、送像装置がなければ試すことはできないのに、これは失敗していて研究を差しとめられさえしている。しかしへこたれるわけにはいかなかった。私は、いったん半歩下がって、送像側を機械式で進めることにした。すなわち、ベアードさんが実験したのと同じ考え方——ニポーの円盤——を使うことにしたのである。

とはいっても、その時すでに、前にもらった研究費五〇〇円は使いつくしてしまっていたし、学校の援助も期待できなくなっている。装置を組み立てて実験しようとしても、真空管一本が二〇円もするということで、困りはててしまった。

そこでまず、結婚してまもない妻にたのみこみ、持参金三〇〇円を使わせてもらうことにして、それで真空管を買いこんだ。ほかの装置にもお金はかけられないので、抵抗やコンデンサーなどはできるだけ自分で作り、装置の箱はまた隣の大工さんに色々とたのみこんだりしてまにあわせた。そして肝腎かなめの円盤は、金原明善翁の創立した天龍製鋸という製材用のこぎりを作る会社にたのみこんで、丸鋸の材料をもらってきた。それに四〇個の穴をあけてニポーの円盤を作り、実験に使ったわけである。

大正一四年の末から装置を組み立て始め、一五年の始めから実験を始めたのだが、なかなか絵は出ない。その理由は何よりも光電管の感度にあった。これもやはり先の東芝の浅尾さんに作ってもらったものを使ったのだが、実験してみると、カンカン照りの太陽光に当ててもほんのわずかの電流が流れるだけというわけで、通常の光ではとても応答がわからないのである。

どうしても、思いきり強い光を送ってやらねばならない、というわけで、まず雲母板の上に文字を書いて、それをアーク灯で強く照らして、燃えるくらい強い光を当て、それを通過した文字の影を光電管に送ってやろうと考えたのである。これくらい光を強くすれば、弱い光電管でも何とか応答したのである。

これでうまくいくはずだというので、初めてのテレビの実験にそれではどういう絵を送ろうかと考えた。西洋のミハリーさんやベアードさんは白十字を送ったが、私は

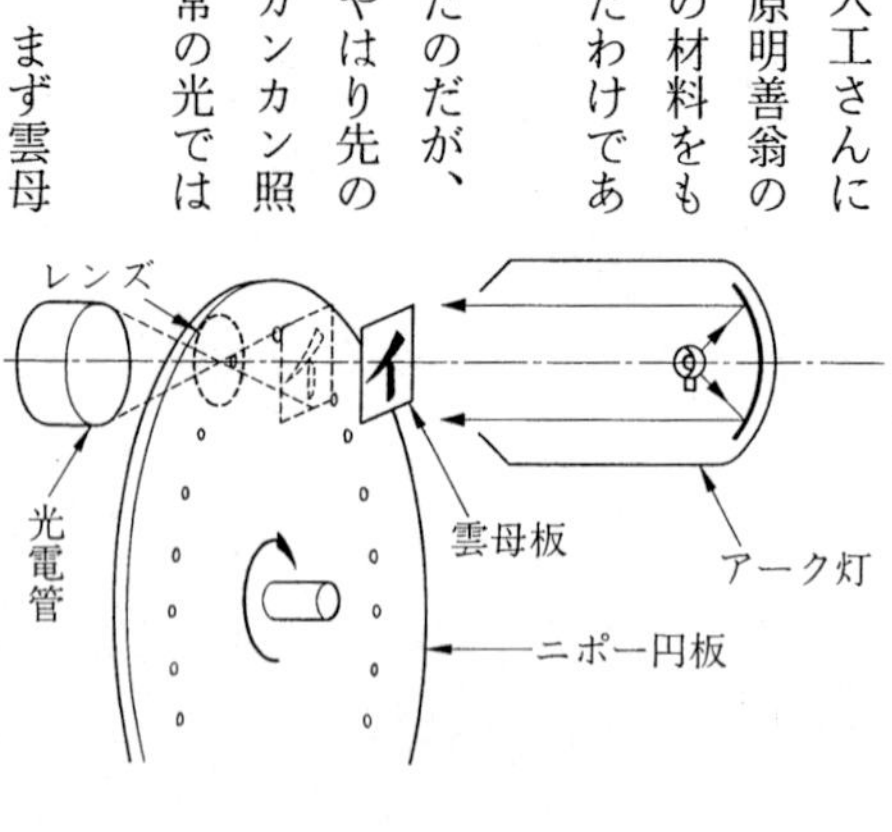

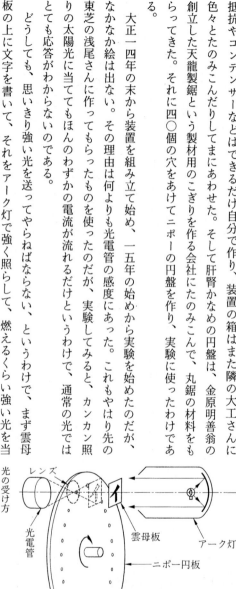

キリスト教徒ではないから他のものを出したいと思った。そして、いちばん初めにやるのだから「いろは」の「い」だということにした。ただ平かなの「い」は図柄として悪いので、片カナの「イ」を選んで雲母板に書いた。

そしてこれをアーク灯とニポーの円板の間において光を通し、円板の四〇個のうずまき状の穴で分解しようとしたのである。

◈ 同期方式のアイデア

さて、それでもなかなかうまく画は出なかった。光電管の感度について光源を強めることでひとまず解決したあとに登場した難問は、「偏向同期」ということであった。

私はまず、円板を一秒当り一二回ほど回転させ、受像の方でもそれに対応してスポットを揺するようにしようとして、実験を始めた。

円板として鋸を使ったのだが、四〇個の穴と四〇個の鋸の歯が付いていた。そこへ光を当てると、鋸の歯が通るとき歯の高いと

雲母板上に墨で書いたイの字（実物大）

ころは少なく低いところは多くなり、回転するとここを通る光の量が変わる。これを光電管で受けてやると、円板が回転する度に電圧は鋸歯状の波を描くから、手でもって円板を回すと、それに応じて偏向板にかかる電圧が変わり、これに従ってスポットは、だんだん上から下へおりて行って、また上へ行く。手で回している分にはちゃんと正方形のラスターが出る、そこへ濃淡を入れれば文字や画が写るはずである。ところが、目に残像として残るためにはスピードをあげなければいけない。スピードを上げるとたちまち画面が潰れてしまって四角には写らない。これには困ってしまった。こんなやり方ではもうテレビジョンは成功しない。なにか根本的に悪い点があるに違いない。そう思って、何故だ何故だと反復・実験して考えた。

送るほうから受けるほうへ長い電線で持って行って偏向板に電圧を加えているわけだが、偏向用の光電管出力回路に非常に高い抵抗を用いていてそれに静電容量が強くかかっているから、高い周波数になるとみんな短絡されてしまって出力電圧がなくなってしまうということが想像できた。ゆっくりのうちは鋸歯状を描いているが、早くなると縮んでしまってだめになってしまうわけである。

私は、こうしたやり方で送像側と受像側を同期させるのはまちがいで、全然別のことを考えなくてはならないと思った。そして、受像機の方では、自動的に高・低の周

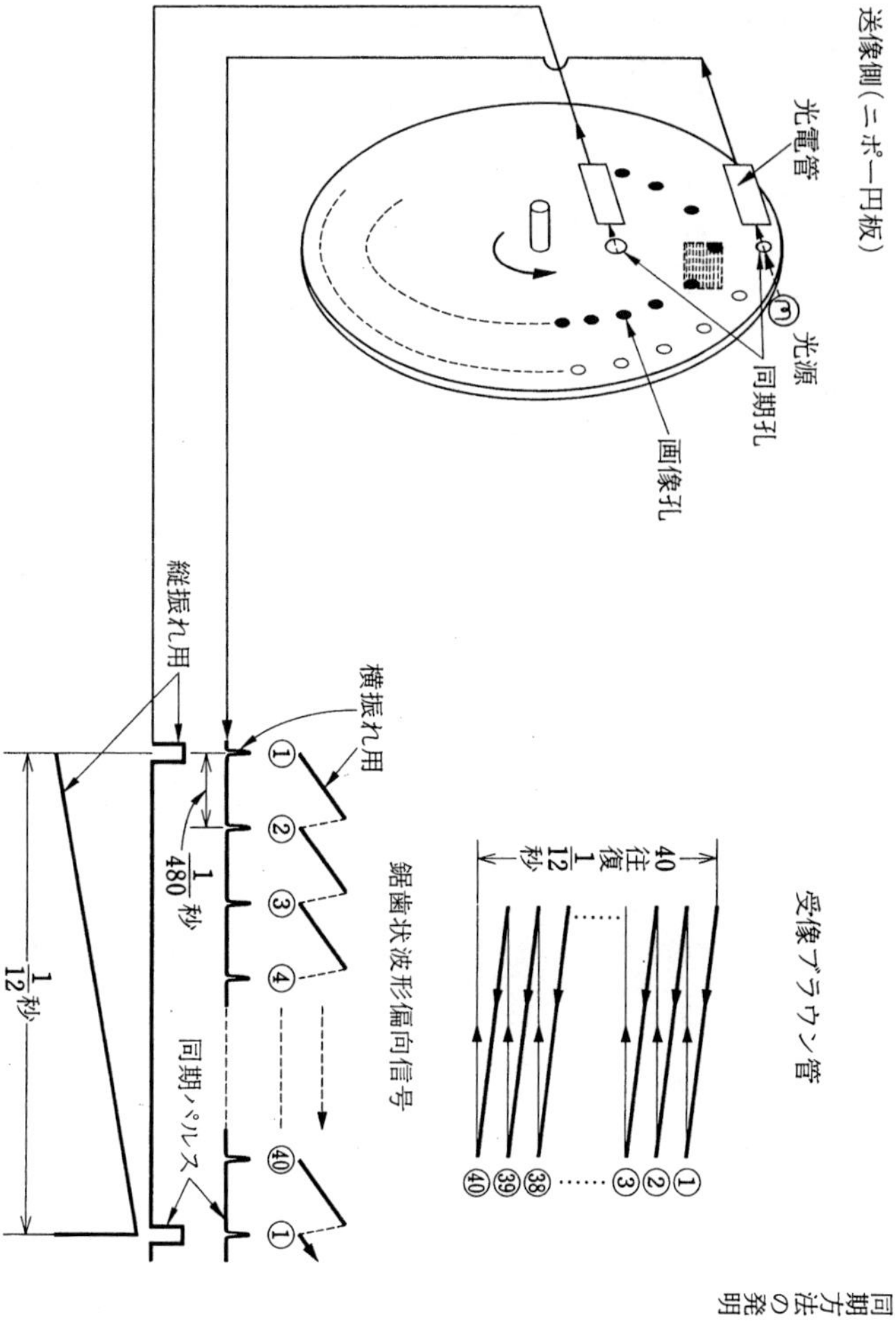
送像側（ニポー円板）
光電管
光源
同期孔
画像孔
受像ブラウン管
40往復 1/12秒
鋸歯状波形偏向信号
横振れ用
縦振れ用
1/480秒
同期パルス
1/12秒

同期方法の発明

波数の鋸歯状波形の偏向電圧を発生して、電子線が螢光面上を一回四〇本の線で一秒間に一二回すなわち四八〇サイクルで動いて四角形のラスターを描きだすようにしておくことにした。そして、送像側で一つの穴が画面のところに来るとパルス信号が出て、受像側で電子線が横へ振れはじめ行きついて、次の穴が画面のところにきてまたパルス信号を出すと、電子線はクイック・リターンして同期する……という風にした。そしてもう一種類、一二分の一秒間に一回一番下へ来た電子線を上へ戻すパルス信号を送るということを考え、この二種のパルスによって同期させることにしたのである。そしてこれはうまくいった。

この同期方式と片方向の直線の走査線で画面を作るのが――ブラウン管用偏向同期方式――、現在のテレビの方式となっているものである。それまでは、ブラウン管の上に画を描く場合も、光スポットは往復運動をするものと考えられていた。これを、私が考えだしたように一方向だけに行ってクイック・リターンさせ、このリターンの間は画面に画が出ないようにすると、画が二重になることがなく、きれいに映るのである。

◈ 大正天皇崩御の日に

こうした工夫を加え、装置を改良して実験したところ、今度はいっぺんに、安定した受像に成功した。それは大正一五年の末に近い一二月二五日のことであった。忘れもしないその日、暗箱のような受像装置をのぞきこむと、イの字がブラウン管の画面上にちゃんと崩れることなく映っているではないか。私は暗室をとびだし、助手や先生方を大声で呼んで、見てもらった。初めてテレビの画が出た！と大喜びに喜んだのだった。

もっとも、普通の人から見れば、小さな「イ」の字が止まってただ映っているだけで、面白くもなんともないものだったかもしれない。しかし、これは私にとって生涯最大の感激の瞬間であった。ここに世界最初の電子式テレビが誕生したのである。もちろん、日本のテレビ技術がこの時点で、この浜松の研究室から出発したのでもある。

私と助手は、夜遅く実験を終えて学校を出た。凍てつく戸外ではちょうど号外の呼び声が、大正天皇のご崩御を伝えていた。これから、昭和の時代が始まり、私にとっても新しいステップ、新しい時代が待っていた。

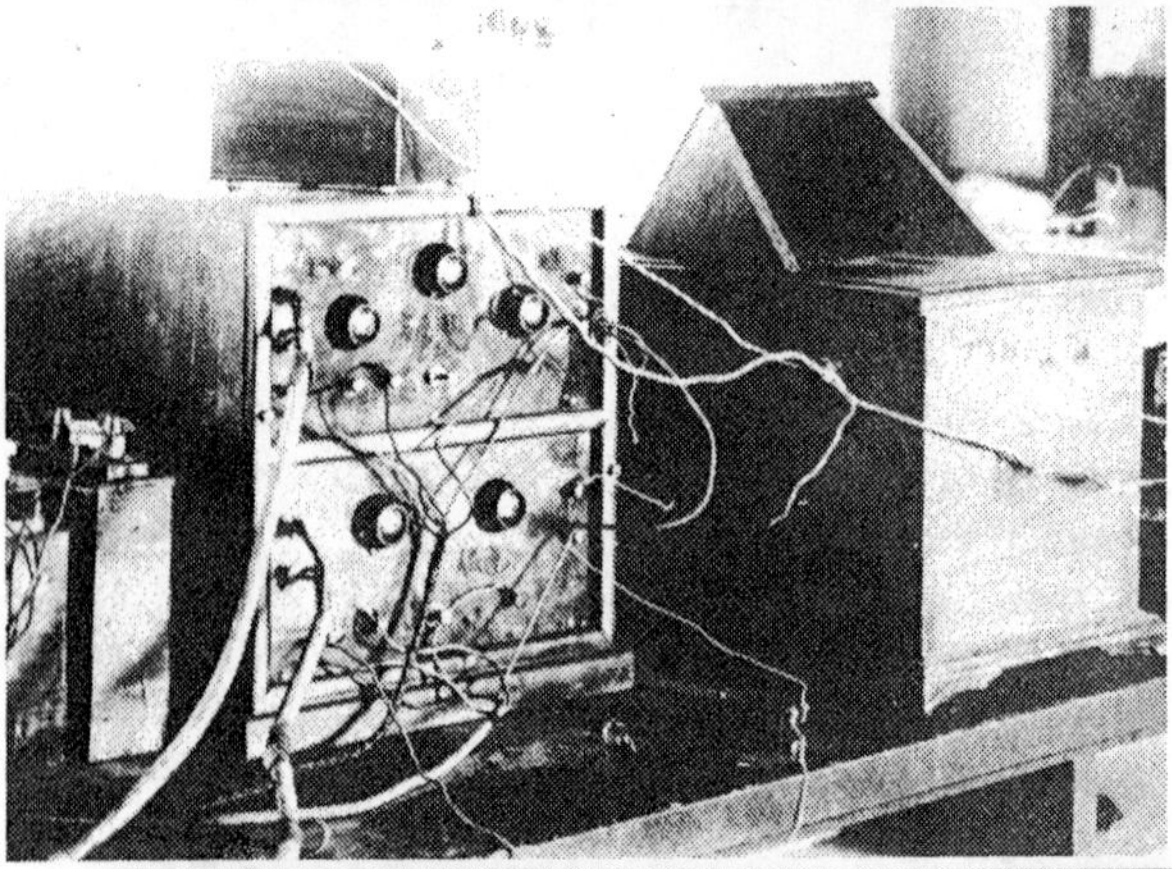

↑ニポーの円板。外周の同心円上の穴が同期信号用（40個），その内側に渦巻状に並んでいる穴が画像分解孔（40個）。ただしこれは，イの字をだした鋸歯製の円板の直後に作ったもの。

映像増幅器（6段の真空管式増幅器）↗

受像側。右側の暗箱の中にブラウン管を置き，のぞき窓から螢光面に現われたイの字を観察した。→

イの字を映した，テレビ用に作られた世界最初のブラウン管。↘
ホット・エミッションを用いたこと，電子の量を映像信号で制御して明暗をつけたことに特徴がある。アルゴン・ガスを入れて電子ビームを収束させるもので，偏向は静電偏向形を用いている。

◈特許申請とにがい教訓

私は実験の成功を外部に発表しなかった。特許申請前にテレビ実験を公開すると特許が取れなくなると思ったのである。そして、実験後一年たった昭和二年の秋に、偏向・同期の方式を二つの特許にして申請した。一年間もかかったのは、費用がかからぬよう申請書類など何から何まで試行錯誤で自分で準備したからである。特許法を調べ、明細書や図面の書き方も勉強した。清書は妻にたのんだ。書類にはった十円印紙のことが、妙に印象に残っている。

さて私は当時、特許についてとても厳重に考えて、どんなに優れた原理に基づく考案であっても、単にアイデアや概念の段階であっては申請できず、実験して理論通りの効果が表われてからでなくてはならないと思っていた。それで私は大正一三年に最初に発明したテレビ撮像管と受像管は特許に申請しなかった。そして「イ」の字の受像に成功して始めて偏向方式および同期方式の発明を特許に出願して、特許を得たわけである。

ところが米国などでは、当時から、試作や実験などやらずに、アイデアが生まれるとすぐに出願して特許を取得したようであった。現にRCA社のツヴォルィキン博士も、大正一二（一九二三）年にテレビの撮像管と受像管のアイデアを発明するとただちに出願し、特許をとっている。

私は、この後、自分の考えがあまりにも狭かったと悟り、昭和五年ごろからは、アイデアがまとまるとすぐに特許を出願するようにした。

また、この他にも国際特許については、いくつもの苦い経験を味わった。例えば、米国人が日本に特許出願したときの請求範囲がきわめて広く、常識にすぎないようなことにまで及ぶことが多いことを知ったのもこのころである。こういうものに対しては、公知例を捜して異議申立てをしなければならないのである。

さらに、米国特許の優先権主張にも私は何度も泣かされた。つまり、私たちがせっかく日本で発明し、出願し、ようやく特許を得たところへ、あとから米国特許が日本に出され、その場合、二年も遡って米国出願日が日本出願日となる権利を得て、楽々と特許として許可されたのである。もちろん、そのとき私たちも同様に米国に早く出願すれば優先権主張ができた。しかし、当時私たちは貧乏で、日本特許を出願するのがやっとで、外国に出願することができなかった。そのため、初期の重要な特許が外国に対して失われてしまったのである。

◈人の像を映し出す

こうして私は、世界で最初にブラウン管に像を映し出すことができたのだが、しかし考えてみると、テレビジョンというのは、実際の物が動く光景を映し出すべきものであって、雲母板の上に書いた「イ」の字を写真電送のように再現するだけというのでは、目的の半ばも達していない。これでは残念だ、何とかしてこの装置をはやく改良して、実際の人間の顔とか手とか姿を出せるようにしたいと思った私は、送像方式の改良を急いだ。

私は、そのころ外国でエクシュトロームという人が考案したという飛点方式（フライイング・スポット方式）を採用しようと考えた。それは、写真電送で用いられた原理なのだが、被写体の上に光の点を走らせて反射光線を作り、それを光電管で受けようというものである。というのは、雲母板の上の文字を映すのと違って、人の顔などをアーク灯で強く照らしてテレビカメラで映し出すのは、皮膚が熱に耐えられず、とても無理だが、この飛点方式であれば、相当に強い光を当てても、それがどんどん移動するため、熱くならないからである。というわけで、私は、暗室の中に人間を入れておいて、その人間の上に光の点を走らせるというように装置を改良した。そしてそ

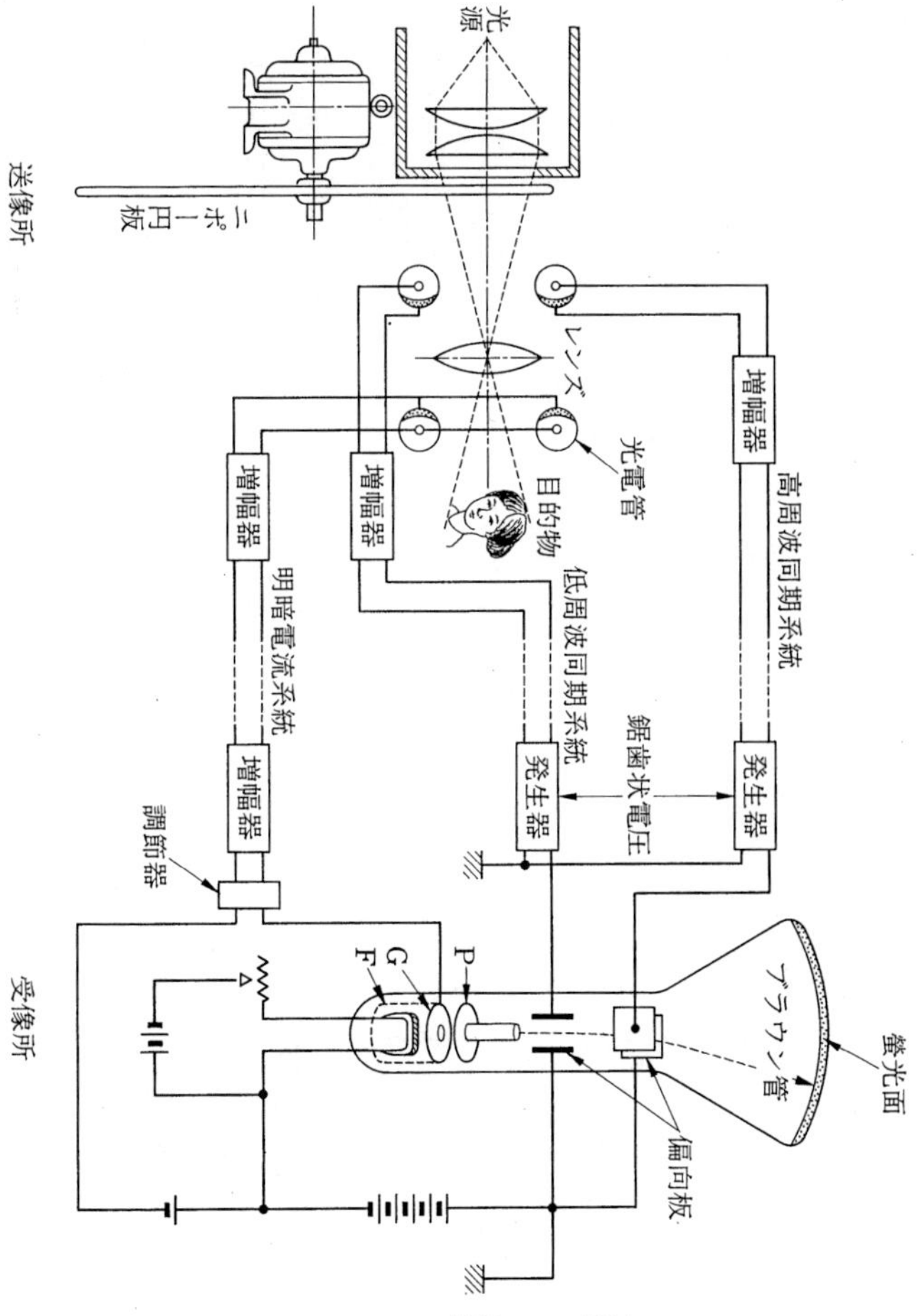

フライング・スポット方式による送受システム

のために必要な大きな光電管も東芝の浅尾さんにお願いして作っていただいた。

しかし、やってみるとなかなかうまくはいかなかった。私は毎日毎日実験助手に送像機の前に立ってもらい、自分は一生懸命に機械を調整して暗箱のような受像機をのぞいた。しかし、いくらやっても人の顔はよく出ない。助手も、四六時中暗室の中でジッと点光に照らされているという毎日にたまりかねたのだろう、ついに実験室によりつかなくなってしまった。助手とはいっても、学校の実験・実習の世話をさせるための助手であって、私の研究費で雇った人ではないから、文句を言うことはできない。全く困ってしまい、やむをえず私は、模造紙に描いた猫のポンチ絵を映して実験をつづけたりもした。

しかし、こうした笑うに笑えないような苦労が報いられ、「イ」の字の成功から二年余りたった昭和三年春に、ようやく人間の顔がブラウン管の上に出た。それまでの実験では、何かが映ってもユラユラ揺れてしまったのだが、その時は画がパッと止

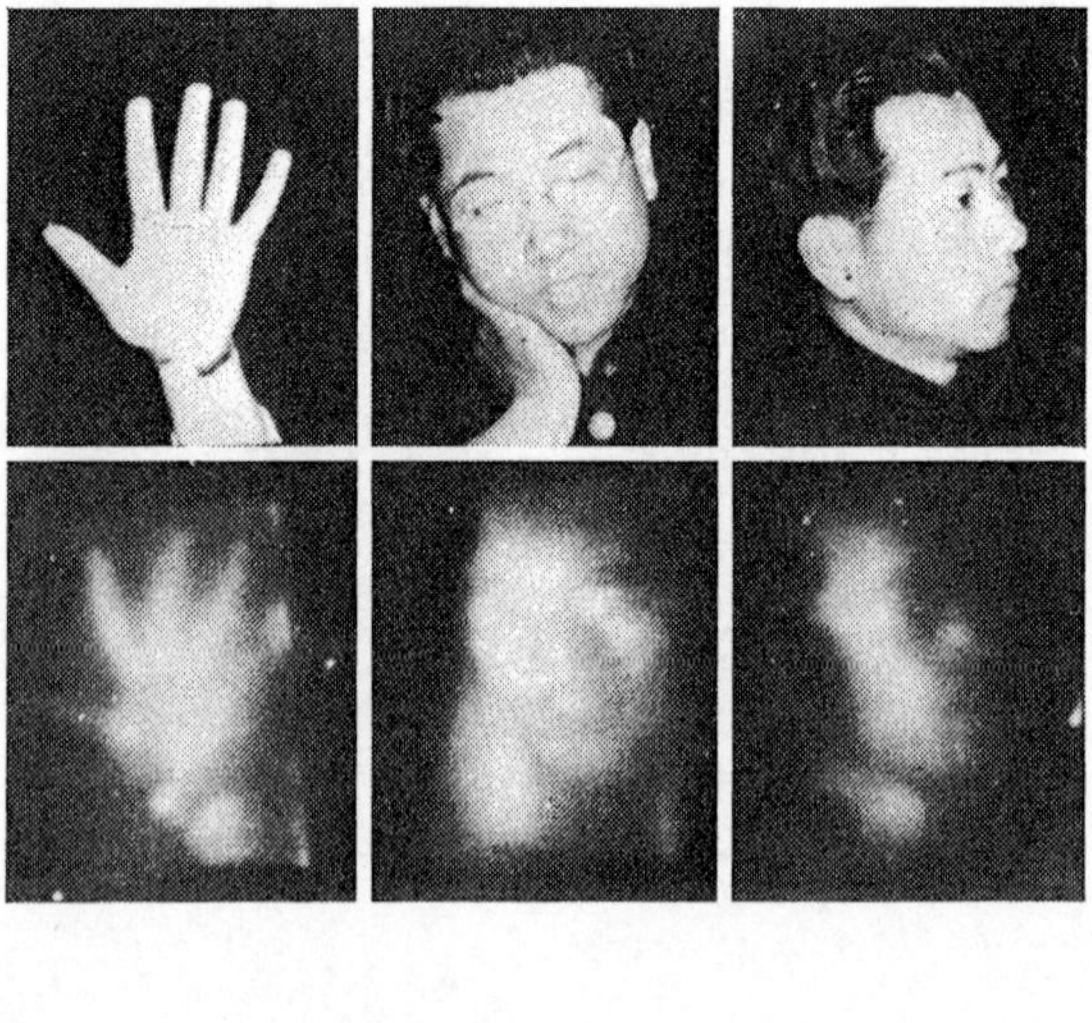

画面に映った人物の顔と手（下。上は実物写真）

まって映ったのである。もちろん、顔が笑えば笑ったように映り、横を向けば横を向き、顔の代わりに手を出せば手の指がちゃんと映ってみえるというわけで、まだ心霊写真を見るような具合ではあったものの、とにかく「これがテレビジョンでござい」と口上をきることができるようなものになったのである。

そこで私は、今度はこれを正式に発表したいと思い――それまでは全く発表していなかったのである――、電気学会へ「テレビジョンの実験」という報告を書いて提出した。電気学会では、非常に珍しい報告だということで、学会誌に掲載する前にぜひ東京での電気学会関東支部で講演し実験して会員に見せて欲しいと依頼してきた。そして昭和三年五月に、デモンストレーションを、今の東京電気大学の物理の階段教室でおこなった。

当日、会場では、浜松高工の校長先生に電気学会員たちといっしょに見ていただいたほか、文部省の役人をはじめ各界の方々がたくさんこられて、テレビジョンについて認識を改めてもらった。夢物語ではなく、こんなチャチな機械でもとにかく人物の顔が映るのだ、というわけである。これは、私にとって非常にありがたいことであった。

そして、帰ろうとするところへ、電気学会の関東支部長であった早稲田大学の黒川

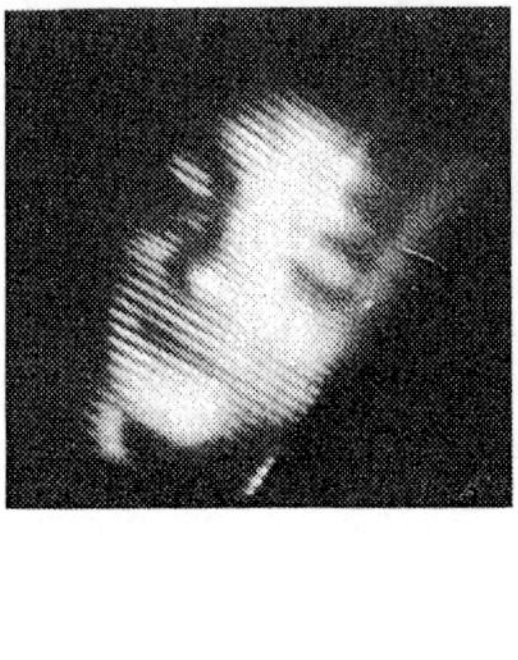

電気学会で公開したおりの画像

兼三郎教授から、大学へ装置をもってきて学生などに見せてくれないかという要望があった。私は黒川先生のお宅に一週間以上も寝泊りして装置を整え、早大でもデモンストレーション実験を行った。

◈早稲田式テレビの登場と機械式テレビの発達

そのとき、早稲田大学で早くからテレビの研究を共同で行なっておられた山本忠興先生と河原田政太郎先生が私の実験をごらんになった。両先生は、テレビの研究を一時中断しておられたのだが、私のものを見て、こんなに簡単で粗野なものでもある程度うまくいくのなら、自分たちも研究を再開すれば、もう少し良いものができるだろうと考えられるようになった。そして二年後、昭和五年に、機械式テレビで、タテ一メートル、ヨコ一・五メートルくらいの、当時世界一の大きな映像を出すことに成功され、画期的なものとして朝日新聞社で公開されて評判になった。

早稲田式テレビジョンと呼ばれたこの両先生のものは、送像側

早稲田式テレビの鏡車（受像側）

にはニポーの円板、受像側にはワイラー鏡車を使うという方式であり、ケルセルという ユニークな光の弁――ニトロベンゾール液の中に電極を入れて電圧をかけると光が通りやすくなるという性質を利用する――の利用に特徴があった。

この時期になると、日本でも色々な方がテレビジョンの研究を始められた。早稲田大学の両先生は御自分で考案されたのだが、その他にも、外国からニポーの円板とかネオンランプなどを輸入して、機械式のもので研究する人がかなりあった。東京大学の赤門前に輸入商がいて、そうしたマニアのために海外からの材料を取り寄せて紹介し、相当賑わったりもしたのである。

つまり、私が電子式のものを発表した時は、機械式の研究が、本格的に画もよくなり、どんどん発達しようとする時期に当っていたのである。

すなわち、昭和三年ごろの私の装置では、ブラウン管は小さいし、走査線の数も四〇本と少なく、画の明るさも、暗幕を引いたうえでのぞきこんで見るという具合であったから、ブラウン管式テレビがそんなに優れているとは、だれにも理解できなかったのであろう。それにひきかえ機械式のものは、はっきり画が見え、明るかった。色はネオンランプで赤く見えるのでまずかったが、その後、早稲田式では、その点も白黒となったのだから、映された画像だけをみると、電子式はとても太刀打ちで

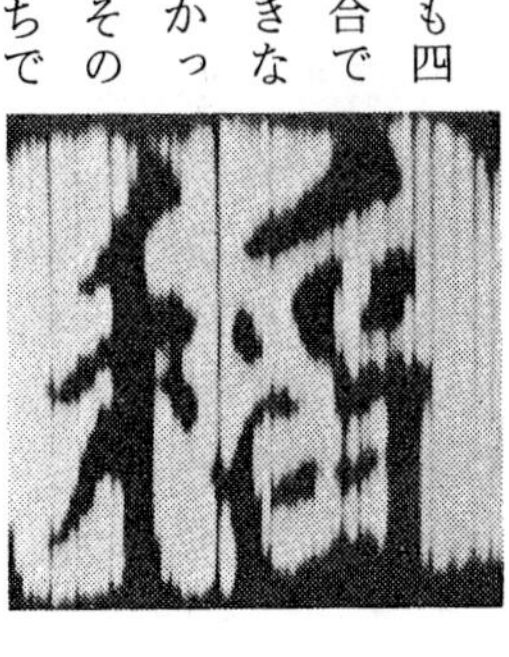

初期の早稲田式テレビの画像

きないという感じであった。

さらに世界に目を転じても、イギリスではベアードさんがその機械式テレビに次々と改良を重ねて、昭和三(一九二八)年にはカラーテレビさえ成功させ、四年からはBBCと協力してロンドンで実験放送、七年には本放送へと進んでいた。

アメリカも同様で、昭和二年、すでにワシントン＝ニューヨーク間で、送受ともニポー円板を用いた実験をベル研究所が行なって話題を呼び、昭和五年には同じくベル研究所がカラーテレビの実験さえ公開し、同年NBCが走査線六〇本の白黒テレビの実験局を設ける、といった具合であった。

◈ 電子式テレビ研究への確信

だから、私の研究を助けることになった中島教授が、「いったいこのブラウン管方式を推し進めて研究をやっているのが正しいのかどうか。お前はいちずにそう思いつめているが、反省してみなくてはいけないのではないか。大学の諸先生の意見をよく聞いてみるべきだ」と忠告して下さったのも、もっともだという状況であった。

私はお勧めに従って、東京工業大学の中村幸之助先生と山本勇先生をはじめ、東京帝国大学、京都帝国大学、東北帝国大学の先生方のところを訪れた。そして、「私は、将来電子方式でテレビジョンができると考え研究しています。今後これを更に進めていきたいと思うのですが、御意見はいかがでしょうか」とお尋ねした。皆さんの御返事は、母校の先生方は賛成、東京帝大、京都帝大の先生も、それほど一生けんめいやるのなら何事かできるかもしれない、よいではないか、ということであった。

ただ、東北帝大に行って、当時きわめて著名であったある先生にご意見をうかがうと、先生は率直に、「まず第一に、今どきテレビジョンの研究を夢中でやっているなどというのは時機尚早ではないのか。また、機械式のものは画が非常に明瞭で次々と成果があがっているが、電子方式はその成功の可能性がまことに少ない。方針を改め、もっと世の中に確実になることをやった方がよい」と忠告を下さった。

こうしたご意見はこのうえなく貴重であった。私は率直に自らを顧みてよくよく考えた。しかしその熟考の結果、自分の方向は間違いないと、いっそうの確信を抱くようになったのである。

私は浜松に帰ってきて中島先生に、先生方のおっしゃるのはもっともであるが、やはり電子方式をつづけたいと申し上げた。

「たしかに電子方式は現在は技術も未熟で、信用がないのもあたりまえですが、努力すれば必ず良くなって将来性があります。そういう素質があるという確信は揺らぎません。メカニカルな方は今はたいへん結構で、現在のように低レベルで幼稚なテレビジョンの段階では非常に良い成績を表わしますが、これは理論的に考えてすぐに行きづまってしまいます。これはけっしてひいきめとかではありません。走査線の数ひとつをとっても、画をくわしいものにするために走査線の数を増せば、その三乗か四乗に比例するという感じで技術的困難が増します。走査線がある水準にまで達すると機械式では研究はそこで行きづまり、それから先は絶対に進めません。具合が良いのは、今のテレビの水準が低いからにすぎません。実用化はできないでしょう。電子式だけが成功の条件を揃えているのです。」

「たとえば、人間と猿との赤ん坊を比較してみると、猿の子どもは機械式テレビジョンと同じで、生まれてすぐに這いまわって、一～二週間もすると親と同じようにそこらじゅうをかけまわり、木にも登ったりさえします。ところが、人間の赤ん坊は、生まれて一、二ヵ月は寝たまま手足を振るだけでギャアギャア言っている。みじめで何もできません。歩くのはようやく一年たってからです。しかし、人間は成長すると、比較にならない立派な働きをするようになります。猿は、すぐに良くなるがそのまま発達はとまってしまう。機械式テレビは猿と同じものです。写真電送などスピードの遅いものには機械式で十分ですが、テレビジョンのように複雑な操作とスピードの必要なものについては、それは不適当なのです。……」
実際に人々のニーズに応えうる技術であるための条件は何か。それを満たしうる方式は何か。この原点に立って考えれば、結論は明快であった。私はこうして自分の方向を再確認して、研究をつづけた。幸い、電気学会での発表の結果、文部省より五〇〇円の研究費がいただけることになり、私を励ましてくれた。そのころの高等工業学校の教授は、法令上は学生を指導するのが本務で、科学技術上の研究は許されていず、もちろん研究予算も認められていなかった。研究費がもらえることになったのは、まさに特別な厚意と言えるものだったのである。

とはいうものの、現にその時点での電子式テレビはあまりに幼稚であった。画面は五センチ角ぐらいで、「よーく見て下さい」と言わなければならないものだったし、部屋を暗くしなければまったく見えず、電灯を点けるとその明るさでブラウン管の画はすっかり消えてしまった。この改善が、当面最大の課題となった。

この改善のためには、まずブラウン管の改良が必要であり、もう一つ増幅器の改良も不可欠であった。もちろんこれらの受像機側の改良のほかに送像側の問題があるのだが、この時点では、私はまず先の二点に絞って研究を進めた。

◈ブラウン管の改良——高真空化

まずブラウン管について、どうすれば画面を明るくできるか、いろいろ実験してみると、ブラウン管の電圧を上げるとその二乗半ぐらいに比例して画が明るくなることがわかった。つまり、電圧を二倍にすると五、六倍にも明るさが増したのである。私の最初の実験では、ブラウン管の電圧は二四〇ボルトであった——あとでふれるが、この電圧を得るために一・五ボルトの乾電池を二〇〇個近く直列でつないだ——。この電圧を一〇倍に上げれば画は二〇〇〜三〇〇倍明るくなるし、一〇〇倍に上げれば明るさは一〇万倍にもなり、昼間でも画面がはっきり見えるようになるのである。

しかし、そのとき使っていたブラウン管は、もともと物理測定用のものに改良を施したものにすぎず、三〇〇ボルトぐらいにもするとすぐにフィラメントが断線してしまう。そしてこのときの二四〇ボルトという電圧自体が、当時の受信真空管一般と比較すると破格の高電圧であり、ブラウン管は、かろうじて切れずに保っているという状態だったのである。これをどうするか、私はまたまた考えに考えぬいた。

まず、なぜ電圧を上げるとフィラメントが切れるのか。その原因はブラウン管の原理そのものにあるといってよかった。

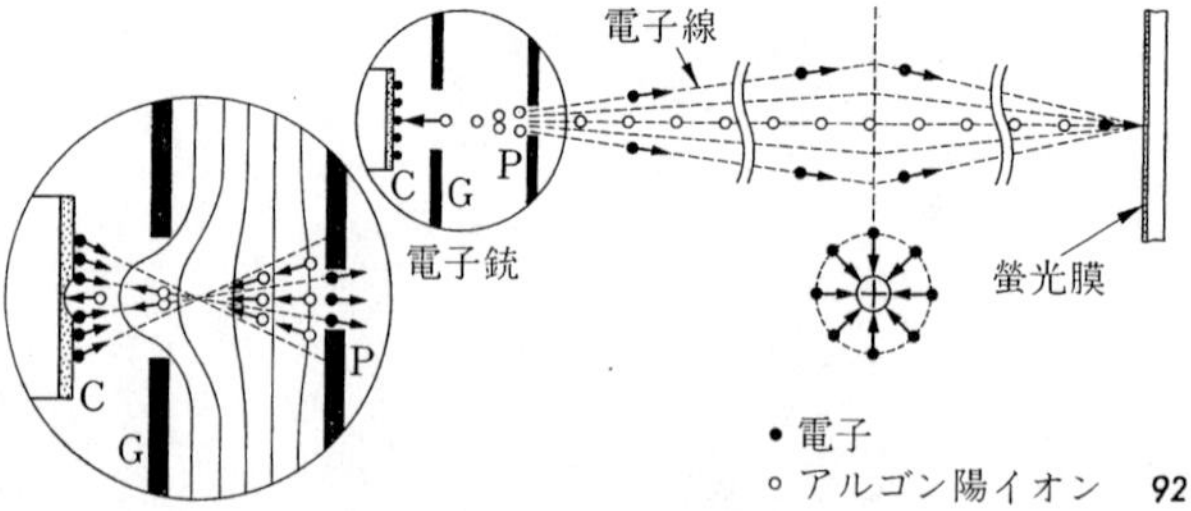

フィラメントが切れる原因

覚えておられるだろうか、ブラウン管の画面に像を映すには、陰極線が螢光面に当る範囲をできるだけ小さく、点状になるまでフォーカシングしなくてはならない。ところが、普通の物理実験で使うブラウン管では、そのスポットが一センチくらいになる。これを一ミリくらいに縮めるために、ブラウン管の中にアルゴン・ガスを入れたのであった。陽極を通りぬけて走ってきた電子がアルゴンの原子に当るとそれから電子が放出され、そこに陽イオンが残る。次に来た電子は、広がっていこうとしても、陽イオンがあるからそこに引きつけられて拡散できず、集中する。こういう原理を利用して小さなスポットを作ったのである。ところが、逆にアルゴン・ガスが入っているためにフィラメントが切れてしまう。つまり、アルゴン原子に電子が当るのは、フィラメント（陰極）と陽極の間でも同じであり、ここでできたアルゴンの陽イオンが陰極に吸い寄せられて衝突しフィラメントを掘ってしまい、加熱し、切れてしまう。こういうわけである。

そこで結論として、まずブラウン管を高真空にして、高電圧でもフィラメントが切れないようにし、そのかわりアルゴン・ガスを使わずに焦点を絞れるように、フォーカシングの方式を変更することとしたのである。

しかし、当時までの日本の真空技術では、私の期待するような高真空を得るのは容

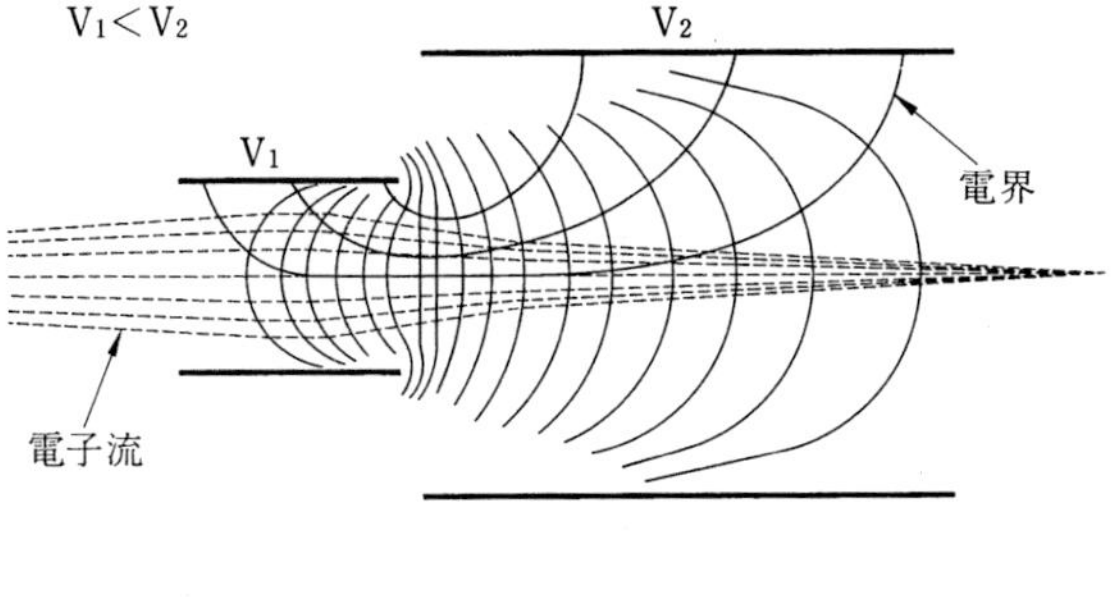

静電フォーカシングの原理

易ではなかったが、ちょうどそのころゲッターとかその他の真空技術が開発されたので、私は東芝研究所の浅尾博士にお願いし、その最新技術を使って高真空ブラウン管を作ってもらうようにして実現したのである。そしてフォーカシングの方式は、電子が飛び出していく途中に静電レンズとか磁気レンズを置いて電子の拡散を絞りこむというものに変えた――最初は磁気レンズを使い、後に簡便だということで静電フォーカシングを採用した――。こうして、高真空ブラウン管の考え方は確立した。

◈現在の受像管の原理の完成

ここで私は、もう一つの考案をブラウン管に加えなければならなかった。それは、従来の三極――陰極と陽極、その他に制御用電極――という電子銃の構造を変更することであった。

それまでのやり方では、陽極の電圧を上げると制御電圧も高くしなくてはならなかった。つまり、画面に像を描くために、制御電極に電圧をかけて、電子の量を止めたり引き出したりして操作するのだが、それには陽極電圧の約一〇〇分の一の電圧が必要であった。今までは陽極電圧が二四〇ボルトだったから制御電圧も二・四ボルトぐらいでよかったが、陽極電圧を二〇〇〇ボルト、将来は二万ボルトへ高めると、制御電圧も二〇ボルト、二〇〇ボルトと上げないと電子をコントロールできない。これは普通の真空管の増幅能力ではとても追いつけない。従来どおりの弱い制御電圧で制御できなくては、ブラウン管はただ明るくなるだけで像は描けなくなるのである。

私は、高い電圧がかかっている陽極の次のところへ補助の電極をおいて、これには従来どおり二〇〇〜三〇〇ボルトの電圧をかけるということを考えた。こうすれば、制御のための電圧は二ボルトとか三ボルトとかですむようになる。さらに陽極電圧が高くなれば、もう一つ補助用を入れてもよい。すなわち、従来三極であった電子銃を四極にしたり五極にしたりすればよい。こう考えたのである。

こうして、多極・高真空ブラウン管を考案発明した私は、これを早速、東芝の浅尾さんに試作して下さるようお願いした。しかし、まず高真空にすることが難しく、電極も四極以上になるのでリード線の出し方も難しくなって、大変なご面倒をお願いする結果となった。そして、試作を依頼して二年後の昭和五年二月に、

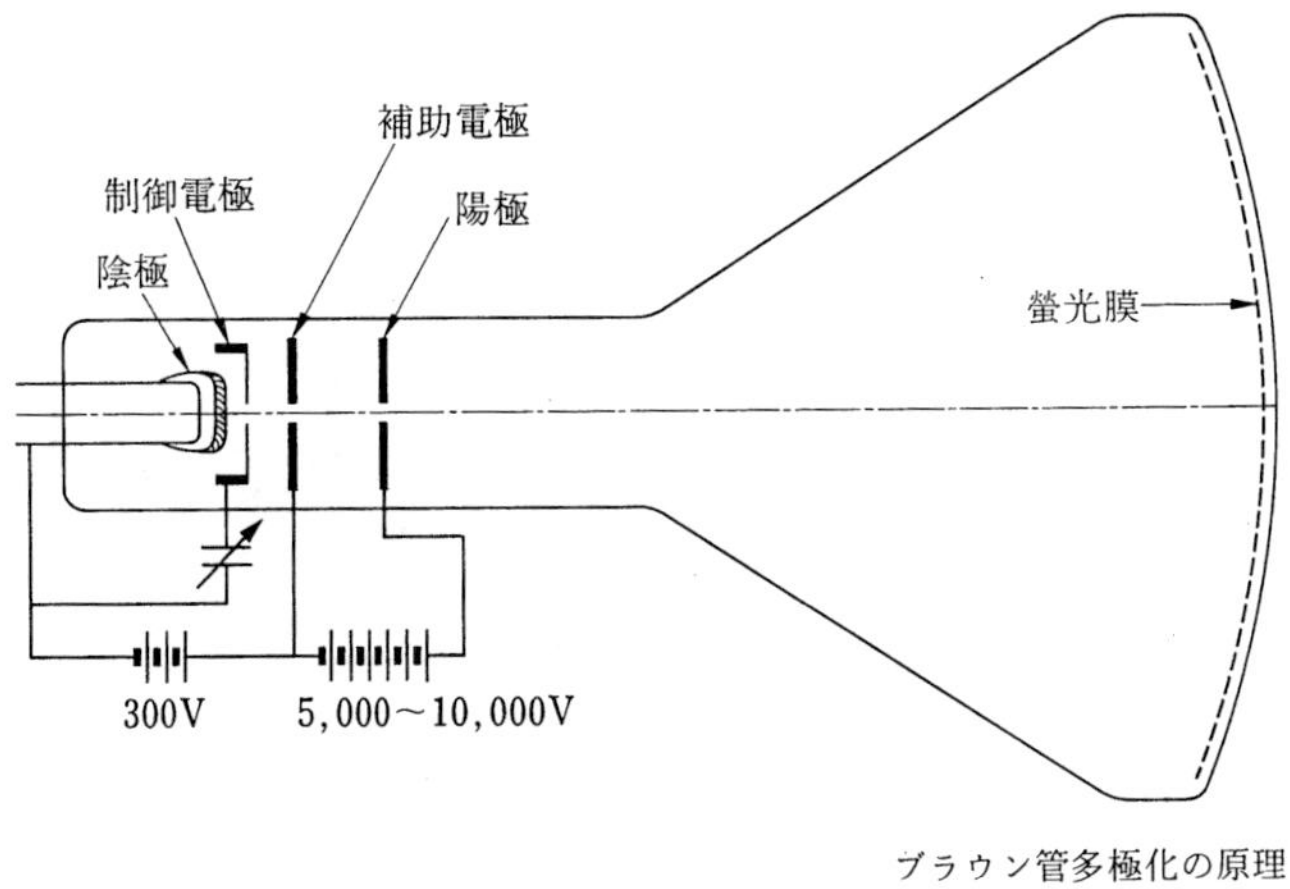

ブラウン管多極化の原理

螢光面の直径が一五センチと三〇センチの二種類の試作品ができて届けられた。

私は、すぐに実験にとりかかった。そして、電圧をいきなり従来の一〇倍の二四〇〇ボルトに上げて画を出した。すると画面は従来の一〇〇倍以上も明るくなり、今までは暗箱の中などで見なくてはならなかったのが、普通光のもとでも見えるようになったわけである。そして、画面こそ小さいが、走査線の筋はまっすぐではっきりし、コントロールも従来の電圧で制御できるようになった。現在のテレビのブラウン管はすべてこの高真空・多極ブラウン管の原理によって作られている。すなわち、この時私は、現在のブラウン管の原理を作り上げたのである。

◈天覧

さて、この昭和五年の三月、日本放送協会の主催により、ラジオ放送五周年を記念する展覧会が日比谷公園の市政会館で催された。私はこれにまず直径一二インチの高真空ブラウン管を用いたテレビ装置を出品した。この時には、先に述べた早稲田式の大型受像機も陳列されて評判となり、人気を呼んだ。

私の出品したものは、映像は明るくハッキリとして格段の進歩をしたとはいえ、増幅器の改良がまだ未完成で、詳しい映像は送れず、走査線数二〇本（縦方向走査、形

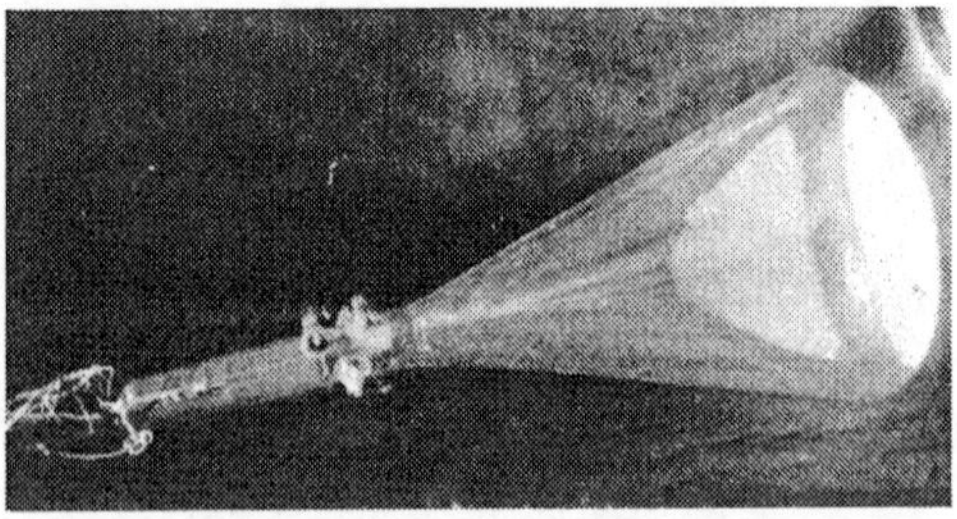
高真空多極ブラウン管の試作品

状比一対二・〇、縦長画面）と極めて粗く、辛うじて半身像が送受できる程度のものであったので、テレビジョン人気につられて上京した私の従兄などは、早稲田式と比較してがっかりし、私に語りかける言葉もなく、しおしおと帰っていったというような具合であった。

しかし、この展覧会に出品して、浜松高工内でも、テレビジョン研究の重要性を認めて下さるようになり、激励も受けたりして嬉しかった。

そして、ここで私の研究条件を一挙に向上させる事件が起きた。それは、昭和五年五月、天皇陛下が静岡県にご臨幸になるときに、浜松高工へおいで下さるので、そのおりにテレビジョンの実験をご覧にいれようということになったのである。

私はこの決定を聞いて非常に感激した。そしてすぐに、直径一二センチの高真空ブラウン管、受像機のほかに、直径三〇センチのブラウン管を新たに製作し、教室を暗室にして、そこに送像装置と受像器二台を並べて天覧に供する準備をした。

ところが、ここで私の心胆を寒からしめることが起きた。陛下にご覧にいれる一週間あまり前、東芝の浅尾さんのもとで作られ棚の上においてあった三〇センチのブラウン管のスペアが、何かの拍子に自然に爆発したのである。私と校長先生は、「天覧にいれるのを辞退しようか」、「いやここまで準備してやめるわけにはいかない」、

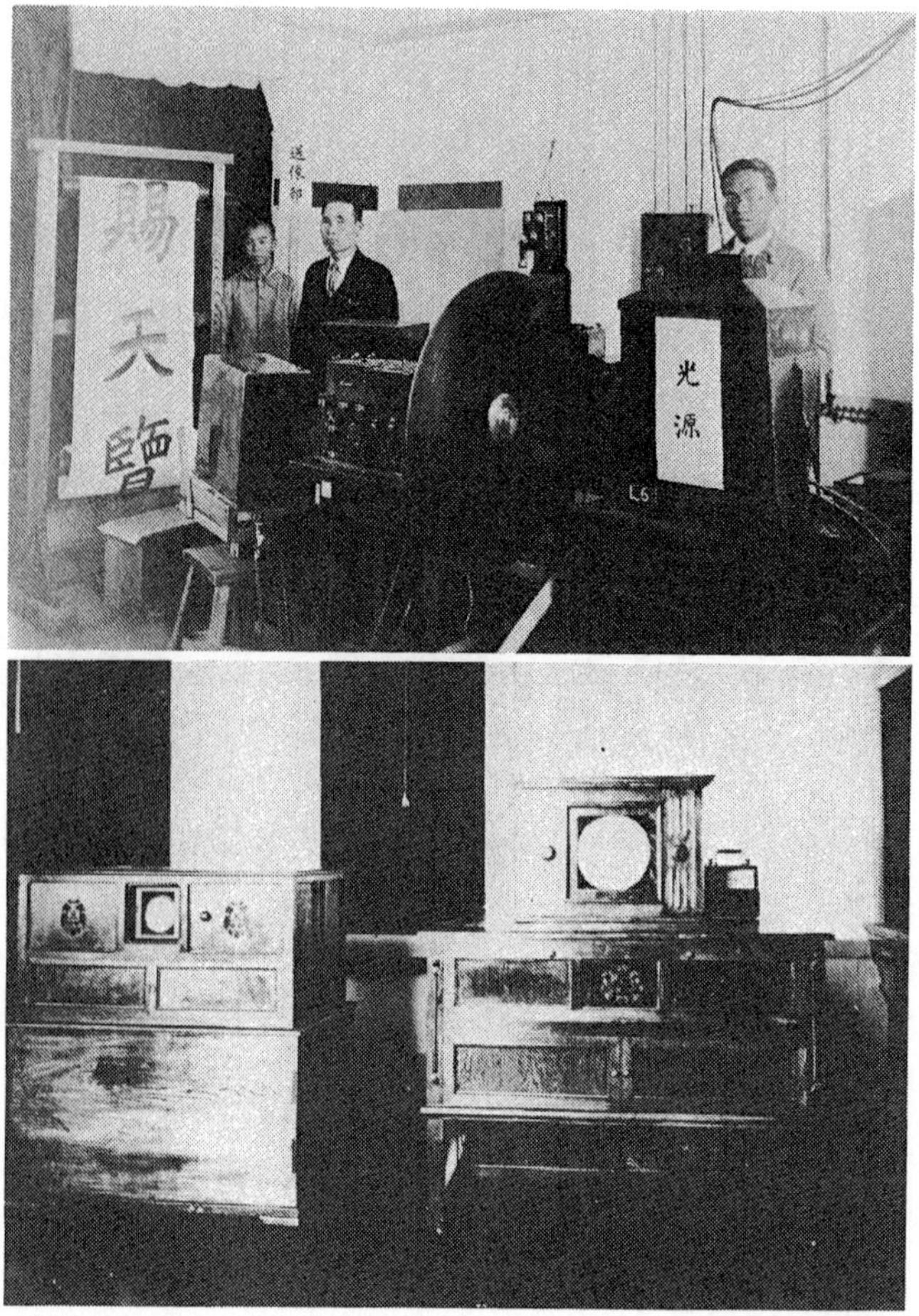

天覧の際の送像装置(上)と受像装置(下)。受像ブラウン管の直径は三〇センチ(右)と一二センチ(左)。大きなキャビネットの中には電池が大量につながれて収納されている。

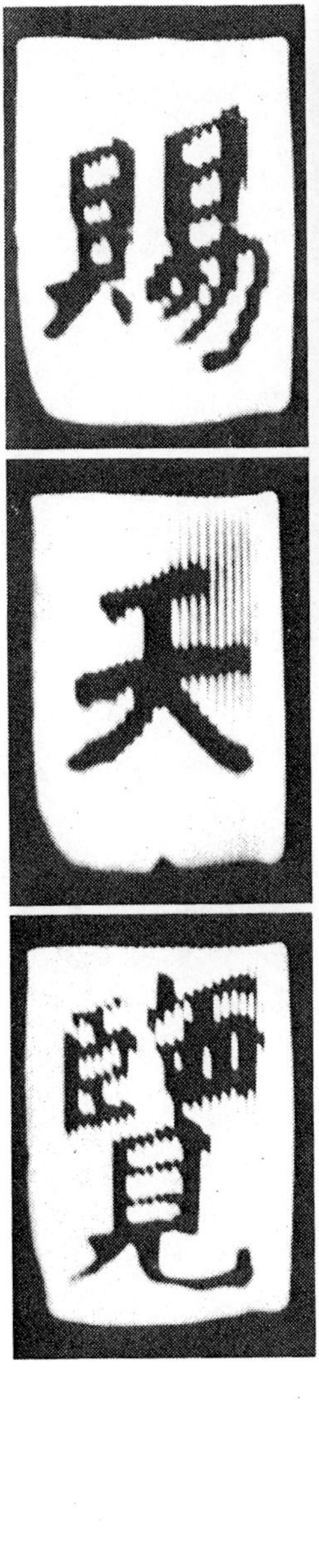

天覧の際の映像

「しかし爆発したらどうしようか」と、深刻に思い悩んだ。そして校長先生が、ブラウン管の前に、思いっきり厚い、一インチほどのガラスの衝立てをおいて、これを通してご覧いただいてはどうかとおっしゃり、いったんはそうしようということになったのだが、下検分にくる侍従が、「これは何のためのものだ」と問うことは目に見えているし、それに正直に答えれば、戦前という時代のことである、必ず中止を命ぜられることはまちがいないというので、この案もダメだということになった。

そこで、しようがないから、お見せするブラウン管を徹底的にテストして、安全性を確かめようではないか、ということに決めた。私は、学校の事務員室に泊りこみ、斎戒沐浴してお祈りをし、一週間それこそ徹底的にテストを重ねた。そして、これならば無事天覧をいただくことができるということを確かめた。

お見せする時には、まず巻紙に「君が代は千代に八千代に……」と書いたものを映し出した。次に「賜天覧」(天覧を賜う)という字を出し、そのあと日の丸の国旗、そして最後に人物の顔を出した。私は陛下に、「これが無線遠視法でございます。英語ではテレビジョン、ドイツ語ではヘルンゼーエンと申します。このように光景が次々と受像機に映って、将来は放送で楽しめるようになります」と説明申し上げた。

こうして、無事天覧を終えたときは、感激するとともに、とにかくホッと安堵したものである。

◈割れないブラウン管をめざして

そしてこのあと、私は、何故ブラウン管の一つが潰れたかということを根本から徹底的に調べようとした。爆発するようなものでは、家庭用としては絶対使えない。ぜひ改良しようと考えたのである。そこで、蔵前時代の恩師で浜松高工機械科におられた福原教授を訪れて、原因を究明してもらうよう依頼した。福原先生にお願いしたのは、先生が材料強弱の研究をされ、さらに、一秒間に一〇〇〇枚ぐらいのスピードで連続して写真を撮るという高速写真の研究をしておられたからである。

ブラウン管をピストルのようなもので撃って爆発させ、その様子を高速写真に撮ると、ガラスの飛び散る様子がはっきりとわかる。それをよく観察した結果、衝撃を受けると、内部が真空になっているから、螢光面のところがいったんズボンと中に入り、それが再爆発して飛び散るということがわかった。そして、ブラウン管のガラスの厚みが場所によってひどく違うこと、全体として厚く見え、また重くても、ある部分はペラペラで、そこから破壊されることが明らかになった。

要するに、当時は、人間がガラスの湯を鉄パイプの先につけ、まわしながら息で吹いてフラスコ型にするという伝統的な方法でブラウン管を作っていたのだが、その製法から生じたガラスの厚さのムラが原因だったのである。そこで、この成形のしかたの研究をまた東芝の浅尾さんにお願いするとともに、水圧試験によって強度をテストするという方法を考え、割れないブラウン管を作るようにした。

家庭用テレビを作ろうとするとき、安全性が十分であることは第一の条件である。天覧を機会に、これについて集中的に考えることができたのはまことに幸いであった。事実、これ以来今日まで、落としたりして壊れるのはともかく、自然爆発というのは皆無といってよいところまで進んだのである。テレビ技術は、物理・化学などさまざまな技術が結合してできているが、伝統的なガラス吹きの技術までが最も重要な問題の一つとしてもち上がってきたのであり、一つの技術が完成するためには、さまざまな分野の総合的な研究発展が必要であることを実感・体験して、感銘したものである。

◈ 人間の視覚の不思議

また、これに前後して、今日の私の最大の関心事であり、生涯の研究テーマにつながる体験もしている。それは、天覧のあと一般にテレビ実験を公開した時のことで、生理学的あるいは心理学的な問題とつながることである。

公開した時に、日の丸の旗を映し出したのだが、皆が「赤い日の丸が見えた。不思議だ、天然色だ」と喜ぶのである。そんなはずはないと驚いたが、じっと見つめているとたしかに、赤い日の丸が映っている。よくよく考えてみるとそれは、そのときに使用した三〇センチのブラウン管の螢光物質がジンクシリケイトのもので、電子が当ると緑色を出すのである。そして映像として緑色の画が出ているのをじっと見ていると、人間の眼にはそれが白黒に見えるようになる。つまり、その視界を支配する色調を人間の神経は「白」と見るのである。すると、日の丸を出した時には、白い旗の中に黒い丸が抜けて出るのだが、色順応作用によって、具合によっては緑の余色の赤に見えたりするわけである。

テレビ技術の奥行きの深さは、ここにも表れる。私は今、単に物理的に映っている色だけでなく、人間の神経と接するところでの、すなわち主観と客観の合一した存在としての色の研究をしているが、色あるいは視覚とは本当に不思議なものである。

◈ テレビジョン研究施設＝電視研究室の設置

天皇陛下に御覧いただくということで、私は、教授に昇格させてもらうことになった。当時は、天皇陛下に直接ご説明したり拝謁したりするには、判任官（助教授）ではなくて奏任官（教授）でなくてはならなかったからである。

　そして、それと同時に研究条件が飛躍的に改善された。すなわち、それまでは文部省の援助などがあったとはいえ、正式にテレビジョン研究そのものを研究として認めてもらっていたということではなかった。それが、「テレビジョン研究施設」として予算が計上され、さらに、教授二名、助教授を四〜五名、助手を一〇人ぐらい職員として認めていただくことになった。一人の助手にもこと欠いた状況から、大勢の研究員を採用するところまで、まことに急転というべき変化であった。

　これは、当時の私の研究スタイルについての悩みにも光を投げかけてくれるものであった。それまで私は、広範囲にわたる研究の一つ一つすべてを自分で手を下して進めてきていた。そのため過労から体をこわすことにもなり、安間新田から学校の近くへ居を移したりしたのだが、それでも時間が足りず、行きづまりを覚

実験室内送像装置の傍で（後列右より二人目が高柳）

えていたのである。そして、多数の研究者が協力して一つの具体的目標に立ち向かうという研究のありようが必要だと思うようになっていた。研究施設設立の措置は、この考えを現実化させるものであった。

こうして私は、それまでの天才的発明家エジソンの崇拝から離れて、チームによる研究組織を作り上げる最初の試みに挑戦する機会を与えられることになったのである。

研究費も、文部省とNHKからそれぞれ何千円かが毎年出されることとなった。それだけでなく、学校の中に独立したテレビの研究施設・設備を作っていただくことにもなった。それまでは電気科の教室を臨時に使わせていただいたり、倉庫の片すみで実験をやらせてもらったりしていた。本来の用途で必要になればすぐにそこを明け渡さねばならないという不安定な状況で、研究・実験を続けてきたのであった。

研究施設を作るに当っては、まず学校の西隣の空地を買収して研究室を二棟（合計一六〇坪）つくり、その中に、物理・化学の実験室、撮像管やブラウン管を作る部屋、ガラス細工室など、一連の設備が整えられ、本式にテレビジョン研究をやるに十分なものとなった。そして何より嬉しかったのは、テレビジョンの映像を送り出すことのできる放送設備までもが作られ、浜松地方でテレビの実験放送ができるようにさ

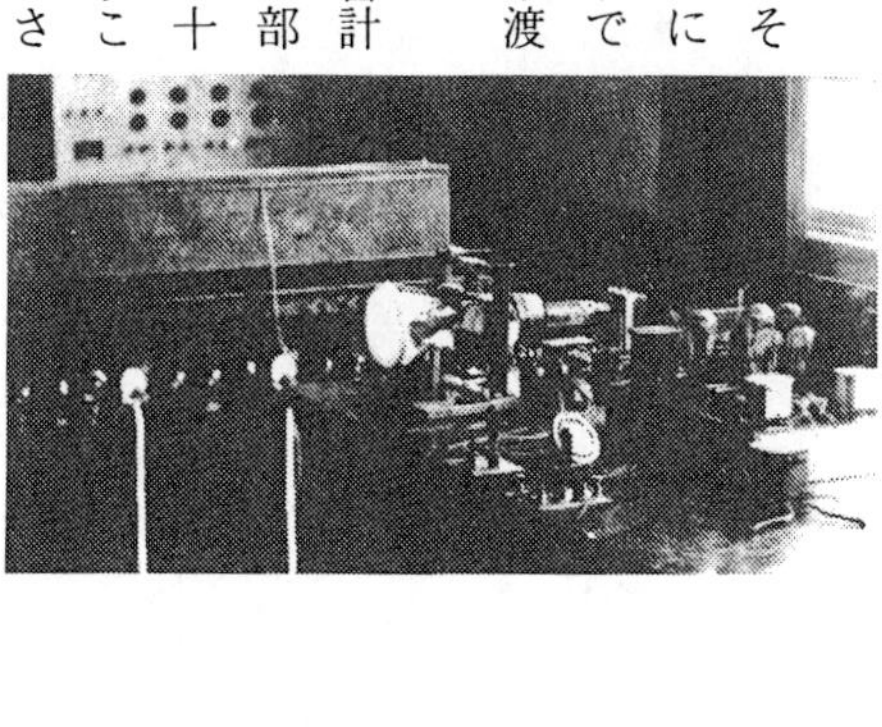

実験室の内部

えなったことであった。

◈ 解像力の向上のために

さて、陛下にお見せしたテレビは、ブラウン管こそ原理的には今と同じものができて、良くなっていたが、先にも述べたように増幅器の方はなかなかうまくいかず、ブラウン管の性能を生かすことができないでいた。ブラウン管の明るさが十分であっても、映し出される画が粗い——走査線の数が少ない——のでは、解像力が弱く、ものをありのままに描くことはできないからである。私は従来からあらゆる方式の増幅方法を検討し、試作もしてみた。しかし、どうしても思うような結果が出なかった。例えば、写真電送に使っている高周波電送方式を応用した方式を考えたのもこのころのことである。つまりそれは、次のような考え方のものであった。

写真電送では、電送する写真の映像に光をあて、その光の強弱を一定間隔で切って、細かいパルスにして光電管で受け、高周波の信号にして送っている。この高周波の映像信号の強弱を利用するキャリア方式をテレビジョンに用いることを考え、光を断続させるのに、早稲田大学で使用していたようなケルセル法を用い、その光のパルスを光電管に入れ、高い周波数、それもラジオの波ぐらいの高い周波数にして送り、増幅器で増幅することにした。この高周波の増幅器は、当時NHKの技師長の北村政次郎氏に製作していただいたものであった。大きな装置を作り、この方法でいろいろと実験を繰り返したが、ことごとくうまくいかず、結局失敗に終わった。

こうして結局、陛下にご覧にいれるときは増幅器の改良がまにあわず、幼稚な走査線三四本程度の画しか送れなかったのである。

私は、増幅器についてまた最初から考えなおしてみることにした。

◈ 広帯域増幅器の発明

テレビジョンで高級な画を送ろうとすると、光から転化してきた電流を、極めて広い周波数範囲にわたって増幅してやらねばならない。そしてこうした増幅には、それ以前から知られている抵抗増幅器では、全く役に立たない、というのが当時の常識であった。すなわち、抵抗増幅器を用いると、高周波部分でパタッと増幅機能が落ちてしまうのである。

そこで私も、それまで色々と他の方法を考えてきたのだが、結局うまくいかず、ここへきてもういちど抵抗増幅器に戻って考えようとしたのである。

なぜ周波数を上げると抵抗増幅器の働きが落ちてしまうのか。私は、それが分かれば問題が解決するはずだと思い、その原因を徹底的に追究した。そして、抵抗増幅器の回路には漂遊容量（ストレイ・キャパシティ）というものがあって、これが高い周波数の電流の増幅を妨げることに気づいた。すなわち、周波数が高くなると、電流は陽極抵抗を短絡して進むため、抵抗が下がったようになって、せっかく一〇〇万オームにも達するような高い抵抗によって高い増幅を得ようとしているのに、それを帳消しにしてしまうのである。

このストレイ・キャパシティの影響を受けないようにするには、抵抗を思いきって低くすればよい。そうすれば、増幅度は減るが、増幅可能な周波数の範囲はずっと伸びるはずである。増幅度が低くなったことは、増幅器の数を増やして多段階にし、合計した増幅度が大きくなるようにして解決すればよい。今までの増幅器は一段階で大きな増幅をやろうとしたために周波数範囲を狭めてしまったのだ。私はこう考えたのである。

しかし、これはあまりに単純なことだったので、はたして実験してうまくいくのかどうか、他に何か気づかないもっと重大な支

広帯域増幅器のアイデア

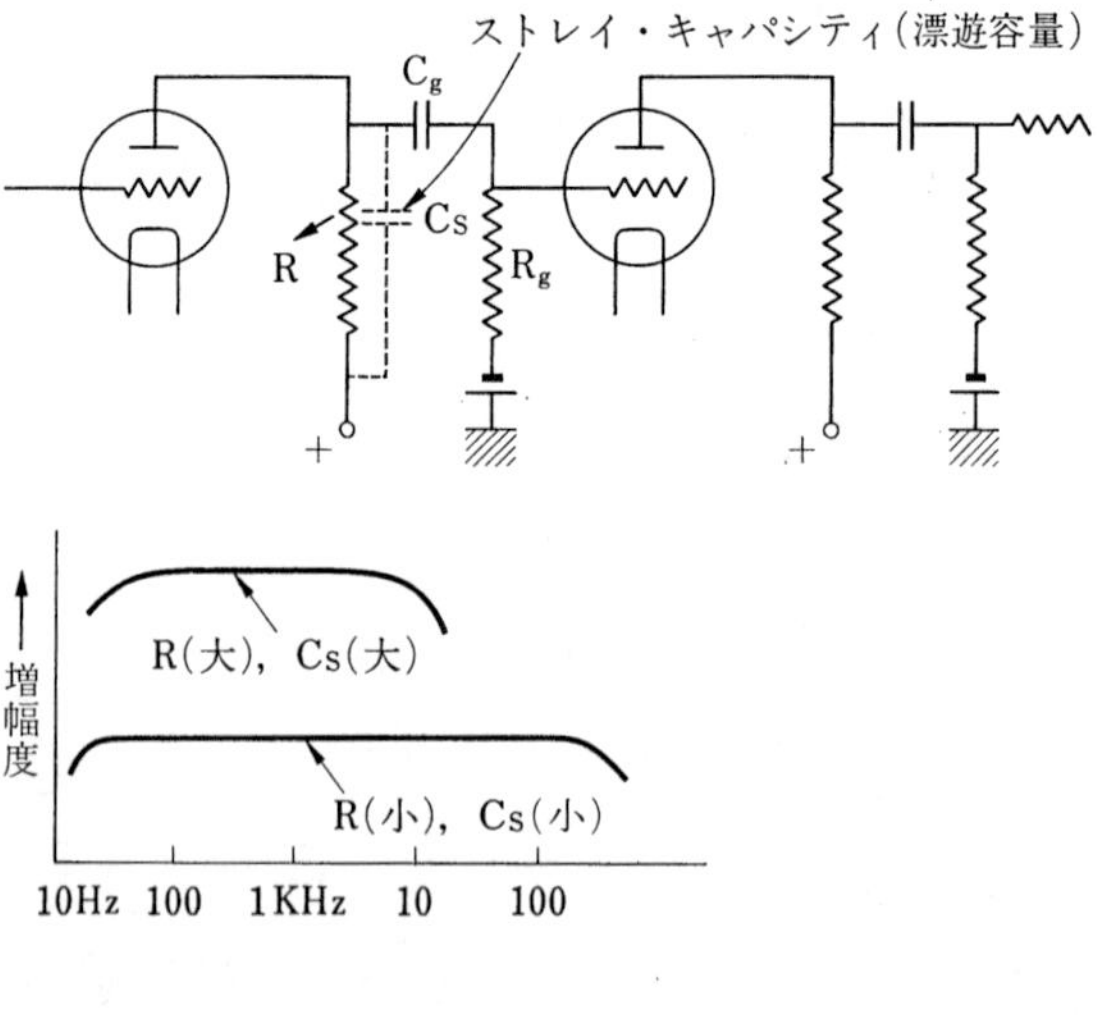

障が生じるのではないかと心配した。そして、このアイデアに思い到ってから半年かかって、実際に装置をつくって実験した。これが広帯域増幅器である。昭和五年の半ばのことであった。私はそれでもまだ半信半疑で、これを走査線の多い高級テレビジョン装置につけて効果を見ようとした。

私はちょうどそのとき、一メートルの円盤に一〇〇個の穴をあけた送像装置を作り、これを毎秒二〇回転というスピードで画を送り、ブラウン管で受像しようとしていた。しかしこれは、従来の増幅器では画像がなまってしまい、うまくいっていなかった。ところがこの同じ送・受像機に、新しく発明した広帯域増幅器をつないで画を出したところ、まことに目のさめるような精細な良い画がスパッと映し出された。私は、その画を見て思わず万才を唱えたものである。昭和六年のことであった。

◈ 実験放送と実用化への道

さて、この広帯域増幅器と高真空多極ブラウン管の発明により、テレビジョンの実用化は急に近づいたようであった。

実は、昭和四年ごろ、まだ三〇〜四〇本の走査線で実験を繰り返していたころ、東京のラジオ商組合の方々が私を訪ねてきて、資金を提供するからテレビ放送を始めて欲しいと依頼されたことがある。ちょうどそのころイギリスでベアードさんが実験放送を開始していたのを知ってのことであろうが、私は「今のような幼稚な水準の画像を送るのでは、実用にもならず、機械を買った人が迷惑する」と申し上げてお断りしたということがある。

そして昭和七年、私は、もとよりまだ不十分ではあるが、浜松で研究用実験放送をやろうと考えた。ちょうど研究施設を作ってもらうときに放送室も作られていたから、そこから浜松市中に向けて電波を発したのである。それは走査線一〇〇本の画であり、使った電波は普通の短波で七二〇〇キロヘルツぐらいの周波数であった。これを郵政省の許可を受けて使用したのである。

私たちは、どこまで電波が届くだろうかと、浜松の郊外に受像機を運び出し、東海道を東へ西へと動きまわって受像試験を繰り返した。画はかろうじて浜名湖あたりまで届いた。

この実験の過程で印象深かったのは、電離層の存在を実感したことである。それは、日暮れから夜八時ごろまでの間、例えば一人の人物を送像しているのに、受ける方ではそれが二人にも三人にもダブッてあらわれ、絶えず変化したことから始まる。いわゆるゴースト・イメージが発生してびっくりしたのである。

私は、それを、北アルプス連山などに当って跳ねかえってくる電波が、まっすぐ来たものに干渉するのだろうと考え、時間の遅れを測定してみた。すると電波がぶつかるのは二〇〇ないし三〇〇キロという遠い所だということが分かって、またまた驚いてしまった。よくよく突きとめていくと、それこそ「電離層」であった。私は、地球をとりまくこの神秘なものにじかに手をふれたような思いをしたものである。

さて、ブラウン管と増幅器の改良・発明により、実験放送ができるところまで進み、こと受像側に関しては基本的に完成の域にまで達していたが、それでもまだいくつか改善すべきことがあった。つまり、螢光物質をよりよいものにすることが必要であり、またブラウン管の電圧を高め、電源についてもより実用に適したものにしていかねばならなかった。

◈ 電源・電圧の改善

現在われわれが見ているカラーテレビのブラウン管には二万ボ

浜松高工電視研究室

ルト近い電圧がかけられている。最初にイの字を映したときは、これがたった二四〇ボルトであった。これを一・五ボルトの乾電池を直列につないで得ていたのだが、昭和五年に天覧に供したときは二四〇〇ボルトであり、四五ボルトの箱型の乾電池（ブロック）を数珠つなぎにして使った。すなわち当時の受像機は、大きなキャビネットの上にブラウン管の箱を載せるというスタイルにしてあったが、そのキャビネットの中には乾電池がいっぱいつまっていて、回路などはほんの少しにすぎなかったのである。そして、これでは危険なので、まず、途中をいくつかに切ってスイッチをつけて順々につなぐようにするとか、抵抗をいくつも入れておいて、人間が万一触れても火傷をするぐらいに止めようと工夫したりしたものである。

しかし、こういうふうに乾電池を並べてやるには限度がある。私はこれを簡略化し、家庭用の一〇〇ボルトの電気を変圧器によって三三〇〇ボルトから五〇〇〇ボルトに上げ、整流真空管を用いて整流して、直流の高圧を得るようにした。天皇陛下にご覧にいれたあとはそういうようなやり方を進めた。

ところが、これまた容易ではなかった。直流の高電圧は、これにふれると感電して危険である。そこで、人間がふれやすいブラウン管螢光面のところに整流電圧の陽極をむすび、そこをアースして、ブラウン管にさわってもショックを受けないようにした。また変電器にリーケイジ・リアクタンスというものを多く持たせたり、その端子に数メグの高抵抗を入れたりして、もし電極に人間がふれても、身体には弱いショックしか受けないようにした。ところがこの接続法で受像実験をしたところ、画面に強い白黒の縞目模様が出てしまう。考えてみると、整流による直流電圧には平滑作用が不十分で大きなリップル電圧があり、それがブラウン管のグリッドに直に入力するからとわかった。

これには非常に困って、それまでの考え方を変えねばならなかった。そして、ブラウン管の画面のほうが危険のように思うけれども、ガラスが厚くて手でさわってもいっときシュッとなるだけで大事がないことがわかったので、思いきって整流直流電源の陽極をブラウン管の螢光面すなわち陽極につなぎ、直流電源の陰極をブラウン管の陰極につなぎ、そこをアースした。すると、増幅器をつないでもリップルも何もないからきれいな画が出て、嬉しかった。現在の方式はみんなそれになってしまっている。ブラウン管の表面にさわるとすっと寒く感じたり、部屋のほこりがブラウン管の表面に付いてきたり、毛でも何でも引っ張られてふわふわするのは、そこが高い電圧になっているからである。しかし、ガラスが絶縁体だから、すわっという感じはするけれどもスパークをしたりするわけでなく、危険はないのである。とにかくこの発明によって高い電圧がかけられ、一〇〇ボルトの電源から一万ボルト、二万ボルトでも作れるようになったのである。

さて、普通の五〇ヘルツとか六〇ヘルツの家庭用の電力線を電源とする場合には、整流し平滑にするのに非常に大きなコンデンサーがいる。これをもっと小さく軽いものにするためには周波数の高い電圧を発生させて整流したほうがよい。そこで、水平走査線の継ぎ目ごとにパルスが出るから、それを整流すれば高圧が得られると考え、工夫した。この方式はドイツの国民受像機に初めて使用され、発表されていた。現在は、ブラウン管で自分の偏向走査をやるときの高圧のパルスを使っているわけで、電源はいくらでも高く上がるようになった。そのかわり、そのような偏向回路によって電圧が異常に上がったり、バランスを失するようになったりするので、ブラウン管を安全に操作するためには高圧をしかるべく制御する安全装置を付けなければ……というわけで、だんだん進歩してきたのである。初めに乾電池をつないでやっていた時代から見ると、電源・電圧というのも非常に改良されたわけである。

◈ 人間の眼に学ぶ——積分法の発明

送像側の方はまだ機械的な方法を使っていたので、走査線は一〇〇本が限度であった。それで私は昭和五年に、かつていったん中断していた電子式撮像管の研究を再開しようとした。

なぜ、それまでの機械式の送像装置では感度が悪くて詳しい映像を送ることができないのか。それを考えてみると、まずその第一の理由は、飛点方式――光を小さな点の状態にして振りまわして人や物に当て、その反射光を光電管で受けてやる――という極めて特殊な方法を採らざるを得ないところにあった。

「特殊な方法」と言ったのは、これを普通の写真機や映画の撮影機など他のカメラと比べてのことである。それらは、外の景色そのものを全体としてレンズで取り入れ、機械の中で像として結ばせて、そのまま人間の眼に見える形で転換させるのである。これができないということは、テレビの能力が映画などと比べてひどく低いことを意味する。

このことは、また人間の眼との比較においても言える。人間の眼は、暗い月夜でも大体の光景が見えるし、部屋の中なら数十ワットといった小さな電球だけでずいぶん細かなものまで識別することができる。数ルックスにすぎない照明でも眼で捉えることができるのである。ところが機械式テレビジョンでは、数万ルックスというような眼が痛むほどの強い光を当てた光景でも、詳しい映像として送れない。ここにはあまりに大きな差がありすぎる。今までのやり方には原理的なまちがいがあったと考えざるをえない。初心に帰って、人間の眼と送像装置のしくみを比較し、送像装置を眼と同じように働くものとしていかねばならない。

私はこう考え、集中的に撮像管の研究に向かった。

さて、人間の眼のしくみは下の図のようになっている。つまり、外の光景などからの光は、全光束が水晶体を通して眼の奥の網膜に届き、そこに像をむすぶ。網膜には沢山の視神経があり、光が当たると電気が発生し、一〇分の一秒あるいは二〇分の一秒という時間のあいだそこに蓄積される。そして、蓄積された電気の量に比例した信号が脳に伝わり、ここはこれだけ明るいということが脳に記録され、それを我々は映像として組みたてて「見る」わけである。

私はこの、網膜上のどの部分にも光は当っているのであり、その一〇分の一秒から二〇分の一秒の間に積算された分を信号とする、というしくみを送像管の原理として応用しようとし、それを積分法と名づけた。

つまり、カメラのレンズから入った光が曇りガラスの上に写っている状態を考え、そのガラスのかわりに、沢山の独立した光電管を面状に並べて光を受ける。それぞれの光電管には蓄電器をつけておき、一〇分の一秒とか二〇分の一秒とかの間に光電管

人間の眼のしくみ（眼球、上から見た図）

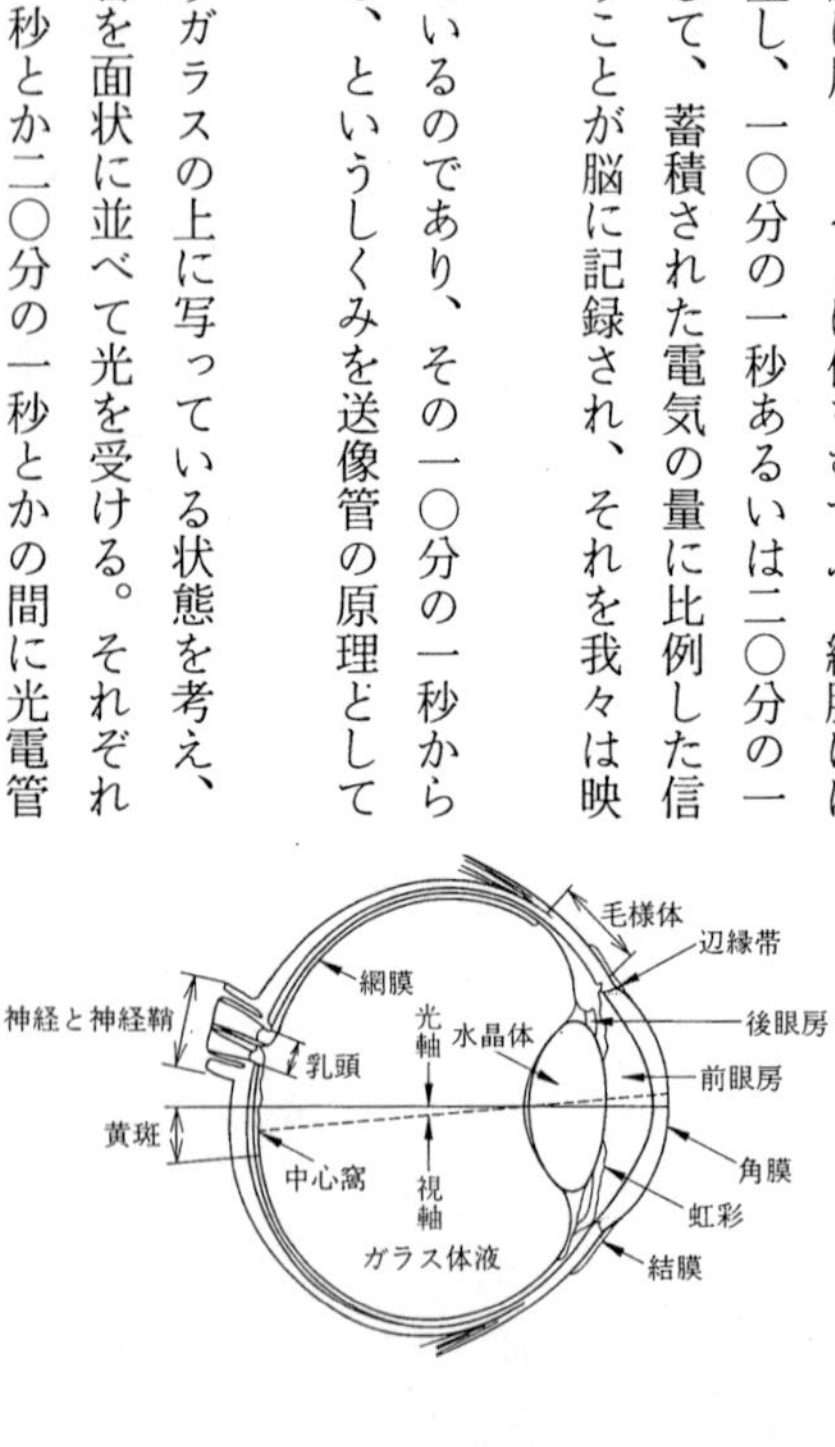

に当った光の量に応じた電気量を蓄える。その場面の個々の部分の光の強さに応じた電気像が作られていると想像してもらえばよい。そしてその像の各部分を刷毛で瞬間的にこすって放電させ、それを回路へ通じてやるのである。ある部分は、刷毛がやってきて放電し信号を送ってしまうと、次に刷毛がくるまでは放電はしないが、外からの光は当りつづけているので電気は蓄えつづけられ、次の放電に備える。これをくりかえすわけである。こうすると、光電管に入る光はむだなくすべて利用される。

ところが機械式テレビでは、ある時点をとると、ある一点のピクチャー・エレメントしか取りこまない。全ピクチャー・エレメントの一〇万分の一とか二〇万分の一とかのわずかな光しか取り入れず、その他はすべて円板でさえぎってしまっているのだから、感度が下がるのは当然であろう。画が粗いうちはまだ良くても、画を細かくすればそれだけ感度は落ちてしまうのである。

積分法ではこれは全く解決する。ピクチャー・エレメントをいくら多くしても感度はかわらない。それどころか、レンズを大きくして受ける光量を大きくすれば、人間の眼よりも感度を高めることもできる。それまでは、外の景色は送れない、照明してもちょっとそれが弱まるともう見えないということで、たいへん視力の弱い人の眼のような能力しかなかったのだが、健康な眼の視力かあるいはそれ以上になるのだと考

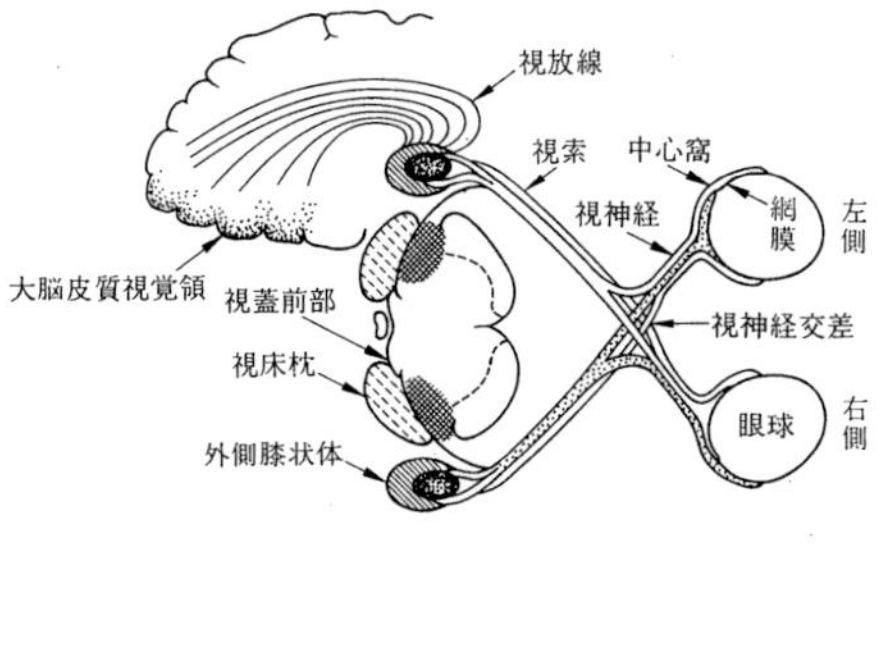

人間の眼のしくみ（視神経と脳）

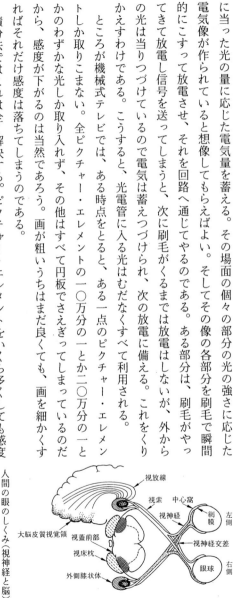

えて、本当に嬉しくなった。

　計算してみると、ピクチャー・エレメントが二〇万個（タテ四〇〇×ヨコ五〇〇）ほどの詳しい映像の場合でも、ミリボルト単位から時には一ボルトに近い電圧が出てくる。これくらいの電圧だと増幅するのも容易となる。従来のもののように電圧が一万分の一ボルト程度でしかないと、増幅器の雑音の中に埋もれてしまい、信号として判別することができなくなってしまう。だから、少なくとも雑音の一〇倍から二〇倍の電圧がないと信号を伝えられない。信号が一〇〇倍にもなれば、雑音を吸収して濡れたようなきれいな映像にすることができ、ましてそれが計算上二〇万倍から三〇万倍にもなるということだから、どんな暗い光景でも撮像することができて、それまでの心配は完全に解消すると思われたのである。

◈積分法——製品化への困難

　私がこうした原理を発見したのは、昭和五年の秋であった。私はすぐに積分方式として特許を申請し、翌年特許を得た。

　さて、原理を発明したのであるから、次はこれを実際の装置の形に組み立てなくてはならない。ところがまたこれが容易ではなかった。

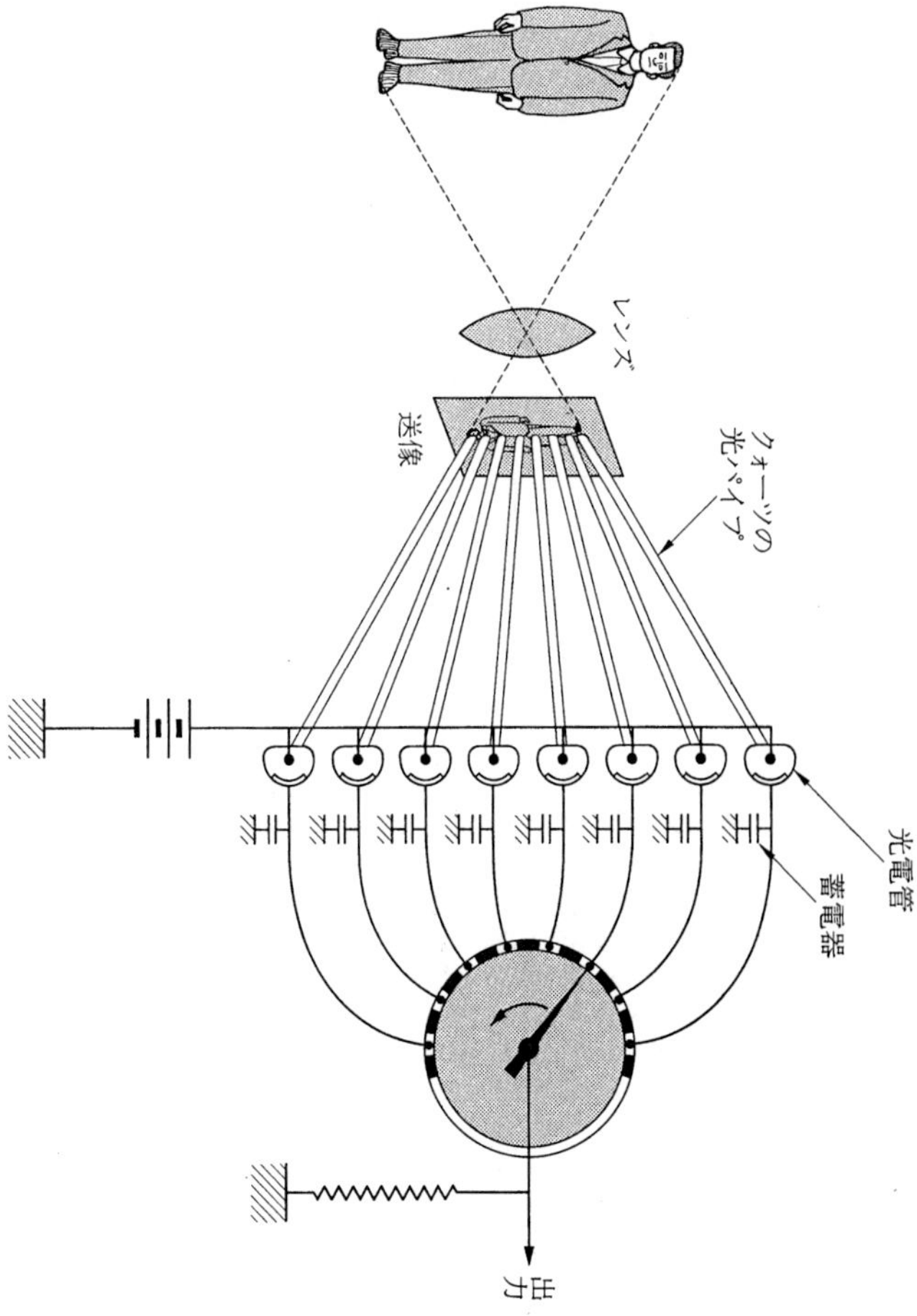

積分法によるカメラのアイデア

まず、たくさんの光電管を作り、それを並べて光電面としなくてはならない。最初に私は縦横一〇〇個ずつ、つまり一万個の光電管面を作ろうと考えたが、当時の技術では一万個の光電管をアイソレートして作るのは無理であった。

そこでそれをやめて、細長い管状の光電管を作り、その上へ陽極を一つずつ一〇〇個つけた。つまり、カソード（陰極）は共通だが陽極は一〇〇に分かれていて、それぞれのコンデンサーに飛び出した光電子を集めて蓄積させる、という具合にしようと考えた。そしてこの管を一〇〇本並べれば、大きな光電面ができるのである。しかし、いきなりこの光電面にレンズから得た光景の像を結ばせようとすると像が大きくなりすぎる。そこで私は、光電面よりレンズ寄りの方に膜を作ってその上にレンズから入った光が像を結ぶようにした。そしてそこから各光電管に蛸の足のようにしたクォーツのチューブで光をガイドする、というしくみを考えたのである。

次に私は、蓄えられた電子を取り出すしくみを考えた。すなわち、最初は、絶縁体のうえに、一〇〇個ずつの電極をつけ、その上を金属でできたブラッシュで撫でていって逐次放電させようとした。

ところが、機械的に電気をスイッチさせると、ブラッシュが踊ったり、ついたり離れたり、あるいは雑音が出たり、種々のトラブルが生じて非常にまずいのである。そ

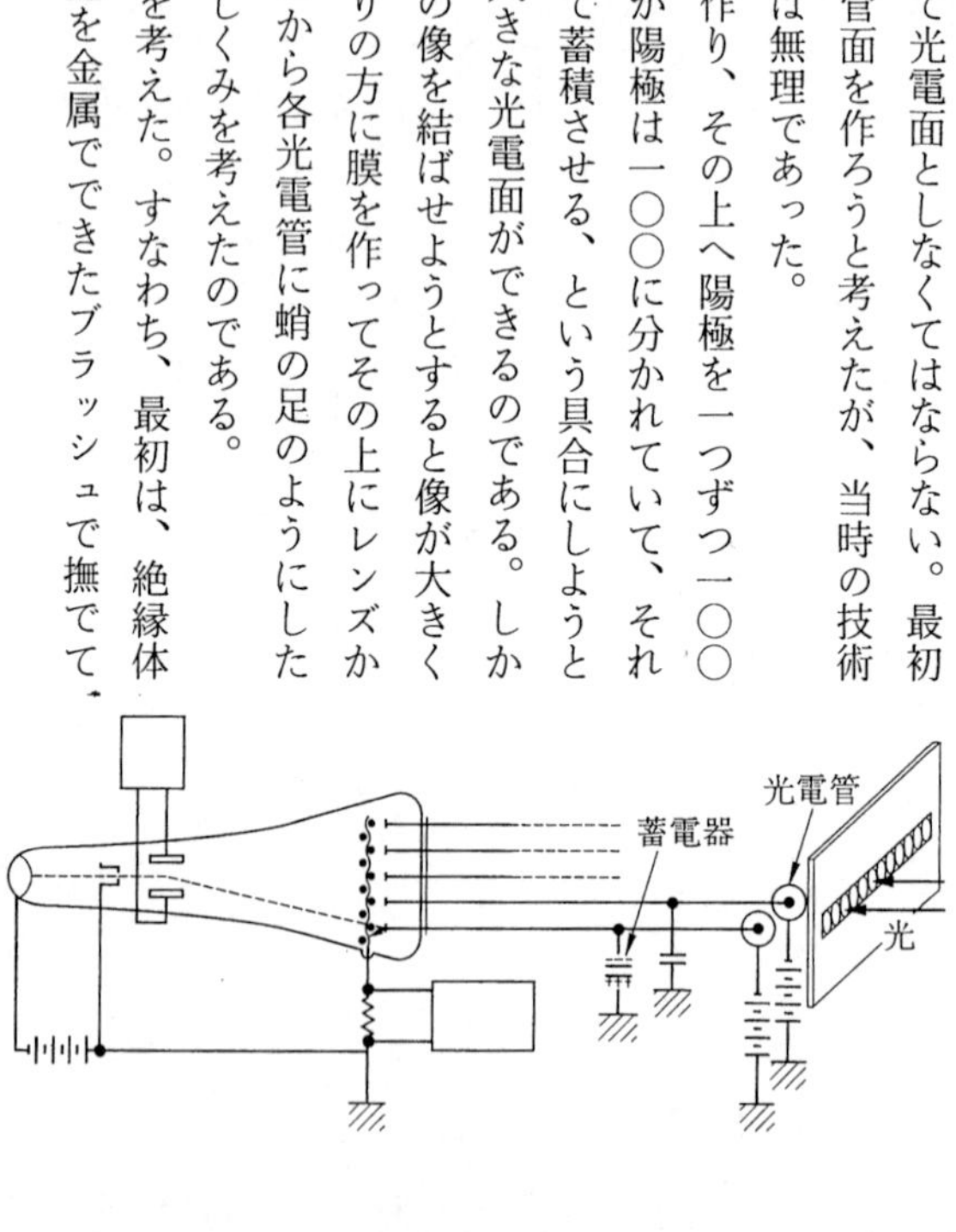

電子式スイッチのアイデア

こで私は、このスイッチそのものも電子式にする――陰極線を使うものにする――ことを考案した。つまり、金属のブラッシュで電極板を撫でて放電させるのではなく、この電極を真空管の中において、そこへ電子銃で陰極線を当て、放電した戻りの信号を網の目状の電極で受けてそれを取り出し真空管で増幅するように考えたのである。こうすれば、受像管と同じように電子の走査線で光の像を分解して送ることができ、文字どおり「全電子式」テレビジョン装置が考え出されたことになるのである。

さてこのように考えを深めていったのだが、その過程でもやはり重要な部分は、東芝の浅尾さんに作っていただくことになった。そして、うなぎの寝床のような長い光電管を作ってもらって電極を埋めこんだり、丸い輪の上に金網をおき電極をおいてスイッチを作ったり、ブラッシュを作ったりという具合であった。

ところが、光電管がしょっちゅう割れたり、スイッチもなかなかうまく作れず、試作は遅々として進まなかった。そのため、アイデアとしての積分法の原理は特許もとれたが、それを使った撮像管は三年たっても作れなかった。

その間、浅尾さんの方も一つは試作品を作って下さったのだが、うまくいかず、その後、私があぁして欲しいこうして欲しいと無理な注文したことや社内的な事情もあったのだろうか、浅尾さんは応じきれなくなってしまった。

◈ツヴォルィキン博士の成功を知る

それで、ちょうど天覧の後、研究施設が作られて、そこに真空設備等もできたので、昭和七年ごろからは、私の研究チームの中で自前で試作を始めた。しかし、それでもなお、試作研究はうまくいかなかった。せっかく優れた原理を発明しながら、それを製品化できず、私は大変あせり苦しんだのである。

そして昭和八年の一一月、私にとってまことに衝撃的なニュースを、三菱電機の専務で、私の研究に個人的にも援助をしてくれていた大内愛七さんが教えて下さった。大内さんは、『ニューヨーク・タイムズ』に載った記事を切り抜いて送ってくれたのである。それは、米国のRCA社の研究所にいるツヴォルィキン博士という人が、アイコノスコープという全く新しい撮像管を発明・製作し、それを使ってテレビジョンの実験を行なったところ、非常に高級な画像を映し出すことができた、という報道であった。

このツヴォルィキン博士の作ったものを使うと、普通の写真機と同じように戸外の景色も撮像でき、ブラウン管に映し出すことができるというのだから、これこそ私の目標としたものであり、まさに画期的というべきものであった。私は本当に驚いてしまった。

そして驚きはそれに止まらなかった。その記事をよく読んでみると、ツヴォルィキン博士のアイコノスコープは、私の考えた積分方式と同じ原理を用いているようなのである。

遠く異郷の地に、私と同じことを考え、しかも既にその装置を完成させた人がいる。このツヴォルィキン博士に会ってみたい、アイコノスコープを自分の眼でよくたしかめたい、私は矢も盾もたまらなくなった。ツヴォルィキン博士との因縁についてはこれまでにも紹介してきたが、それはいずれも後になってわかったことであり、博士の存在、その名前を知ったのも、この時が最初だったのである。

私は、学校当局に話をし、文部省の許可を得て、翌昭和九年七月に渡米の途についた。この費用は文部省とNHKが出してくれた。旅行の目的は欧米のテレビジョン研究状況の視察であるが、何といってもツヴォルィキン博士に会うのがその眼目であった。

私は、出発に先立って、RCA社の社長であったサーノフ氏に手紙を出し、ツヴォルィキン博士のアイコノスコープの発明へのお祝いを述べ、自分もテレビジョンの研究を同じような方向でしているので、ぜひツヴォルィキン博士にお会いして、アイコ

アイコノスコープを持つツヴォルィキン博士

ノスコープを見せていただき教えてもらいたいので、見学を許して欲しいと依頼していた。そしてその返事を待たずに横浜を出発した。

ハワイ経由で約一ヵ月かかってサンフランシスコに着き、おりから開催されていた万国博覧会で、米国の進んだ機械式のテレビジョンが色々な方式で作られているのを見たりして、大陸横断鉄道でニューヨークに向かった。

ニューヨークで私は、出国する私と入れちがいに届いたサーノフ氏からの手紙を受けとり、ツヴォルィキン博士との会見が快諾されていることを知った。

◈ツヴォルィキン氏博士と会う

ツヴォルィキン博士に電報で訪問の意思を告げ、歓迎の返事を受けて、大喜びでRCAの研究所へ向かった。当時研究所は、フィラデルフィアの川をはさんだ隣町のキャムデンという町の、もとビクター・トーキング・マシーン・カンパニーの構内にあった。私はそこでツヴォルィキン博士に会うことができたのである。

ツヴォルィキン博士は、私が日本で独自に博士と同じ方向——全電子式テレビジョン——で研究を進めていることをよく知っておられた。まずブラウン管については、博士も非常に良いものを作られたが、私の方が先行していた。博士は、優先権主張をするため日本に特許を出願したが、日本の当局は、私の特許があるので出願を拒絶したのである。また撮像管についても、私も博士も、それぞれ別個に積分法の特許をとっており、これについても博士の出願は拒絶されたのである。

こうしてツヴォルィキン博士の頭には、タカヤナギという名が深く刻みこまれ、科学者らしい尊敬を私に抱いてくださっていたのである。私が全くそれと同じ気持を抱くようになったことは当然である。

我々は、旧知の間のように親しく話し合った。といっても、私のつたない英語では、まことにもどかしい、筆談のようなやりとりであった。しかしそれでも十分に意思も気持ちも通じあったし、本当に大きな成果と感動を得ることのできた会談であった。

博士は、研究室の棚の上にずらっと並んだ撮像管の試作品を、作った順序に従って見せてくれて、最初はこういうもので、次はここを改良し、その次は……と、詳しく説明して、最後にアイコノスコープを見せてくれた。それは、まさに私の考えていたのと同じ方式のものであった。私はそれを予期し、覚悟していたとはいえ、実物を眼前に見て強いショックを受けた。自分のめざしたものが既に完成してここにある！私は激しく感動すると同時に、足もとの崩れていくような大きな悲しみも感じたので

ツヴォルィキンさんの、アイコノスコープ

ある。

その時、私が彼我の違いとして非常に強い印象を受けたことがある。私は昭和五年に積分法式の原理を発明し、それを実用化しようとして努力したのだが、昭和九年のその時に到るまで、年に一〜二回の改良品を作っただけであった。しかしツヴォルィキン博士は、原理の発明はほぼ同時なのに、すでに十いくつもの改良品を棚に並べてある。私がよくこんなにたくさん速く作れたものだと言うと、彼は、自分の研究室に真空管を作ったりする設備をすべてもっていること、だから、今日一つ作って試してみて、結果が悪ければ、次の週にはまた新しいアイデアを加えて違うものを作るというようなことができること、従って一〜二週間に一つずつ改良していくから、いろいろなことがどんどんできたのだということを、こともなげに答えて私を驚かせたのである。

そして、私がたいへん苦労していた光電面のことについても、「やってみればいろいろな方法があり、ちっとも心配するようなことではない」とにこやかに言われるのであった。

私は、そこで、研究の急所となる大切なものは、なんとかして自分の手で作らねばならないのだ、と再確認した。他人——たとえば浅尾さん——にアイデアを告げて改良してもらい、できた結果を調べて……という具合に、六ヵ月に一度試作品ができるなどというペースでは、とても思いどおりの研究はできないのである。

アイデアそのものでは全く対等の成果をあげたのに、具体的なものを作り出す段になると私は行きづまり、ツヴォルィキン博士は成功した。その背景には、このような研究開発体制の差があったのである。

私は、なぜ早くから自分の研究室の中に真空装置を置いて、ブラウン管も撮像管も自分で作って改良・研究しなかったのかと後悔した。私が、そうした方法を採れるようになったのは、昭和五年の天覧の後に文部省によって電視研究施設が認可され、回路研究のほかに、さまざまな真空管研究設備を与えられた昭和七年になってからだったのである。

◈ 研究のしかたへの教訓——狭い「専門家」意識を捨てる

実は、私自身は当初からそういう方法でやりたいと思っていた。しかし、浜松高工で私を指導していた教授の考えは、「真空は特殊技術であり、餅は餅屋に任せるべきである。自分でやるというようなことをすると研究はできない」という、当時広くもたれていた通念であり、私が真空技術などに手を出すのを止めてこられたのである。

しかしそれは、新しいものを作り出すという研究においてはまちがいである。研究のかなめに当るところは、けっして人任せにしてはいけない。餅は餅屋などと決めつけて、何か特殊なエキスパートにしかできないことがあるかのように考えるのは、まちがった発想なのである。研究に必要なときは、少なくとも自分かそのチームにその道のエキスパートを育て、作ることこそ必要であり、自分で手を出さずに他の人に頼んでこと足れりとするのは、その部分の知識が決定的に欠けてしまうことを意味し、必要なアイデアまでも枯渇してしまうのである。要は、あらゆる局面で苦労を重ね、新しく必要な道を自分とそのチームで切り拓いていくという努力をぬきにしては、新しいものを創り出すことはできないということである。

ツヴォルィキン博士の研究のスタイルは、まさにこの方向に沿っていた。さまざまなアイデアを出す、チャンスを見つけるためにそのアイデアを次から次へと実際にやってみる、すると結果が出てくるから、またアイデアをたくさん出す、これを繰り返していくから、素材についても、原理的なことから細かい実用の問題まで、最高の方法をつないで、実用化への早道を辿ることができる、というわけである。

私は、この時以来これを肝に銘じ、自分の守備範囲を縮小させず、あらゆる可能性を、自分自身とそのチームによって検討し追求していくことにした。

◈ ファルンスワース氏と会う

ともあれ私は、ツヴォルィキン博士とお目にかかり、そのアイコノスコープを見せてもらって、ついに電子式テレビジョンが、戸外の景色でもなんでも自由に送像できるようになったことを、心から喜んだ。そして、日本に帰ったら、全力をあげて自分のやり方で――ツヴォルィキン博士のやり方でなく浜松高工のやり方で――積分方式の撮像管を完成させようと意を固めたのである。

ツヴォルィキン博士と別れたあと、私は、フィラデルフィアに住む、ファルンスワースという若いテレビジョン研究者を訪れた。彼はイメージ・ディセクター（映像分解機）というユニークな撮像装置を開発していた。

その装置の原理はおおむね下の図のようなものである。つまり、まず外の景色を撮像管に当て、光を受けたところで飛び出した電子を束にして走らせ、その前面に置いた細い金属筒の中央に小孔をあけて、小孔の後部に小さな金属板を置き、両者の途中に磁気をかけて電子の束を縦横に振らせる。すると穴を通る部分が変化するから映像が分解できるというわけである。

この撮像装置は、我々と同じく電子式ではあるが、着想の異なるもので、私は大変

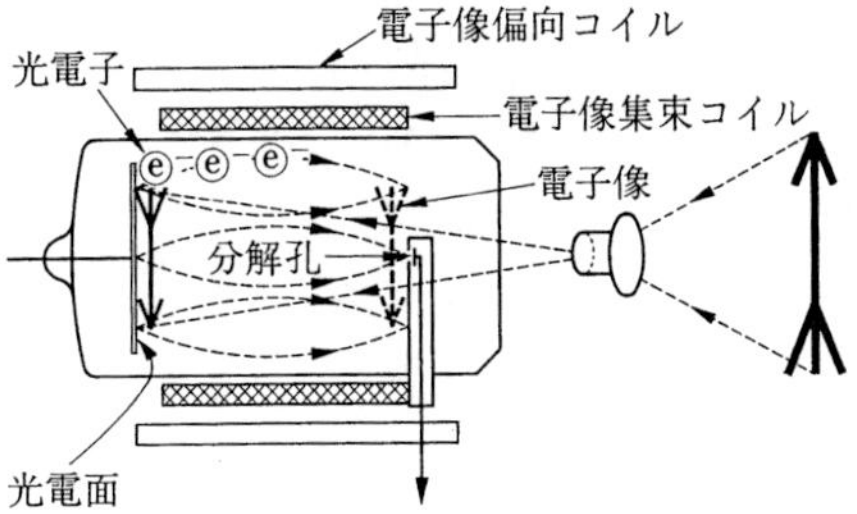

ファルンスワース氏のイメージ・ディセクター

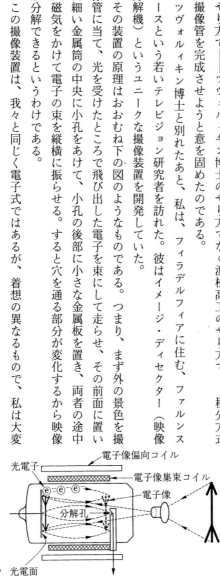

興味をもち、気持ちよく丁寧に説明してくれるファルンスワースさんの一言一言に耳を傾けたものである。そして戦後に私たちは、このイメージ・ディセクターと積分方式の考え方をコンバインして、実用的な撮像管を作ることになる。

◈ ヨーロッパへ、そして帰国

さて、私はアメリカを後にして、その足でヨーロッパ諸国を訪れた。そこは機械式の全盛期で、まだアイコノスコープについての知識は広まっていなかった。ちょうど、ツヴォルィキン博士がその研究報告を進めつつある、という段階だったのである。そのため、どこを訪れても、「アイコノスコープとは本当にそんなにうまく働くものなのか」という質問を受けた。私はその度に、「それは非常に優れた良い方法・発明だから、それによってテレビジョンは実用化されるに違いない」と述べた。そして私自身のブラウン管も各国の方々にお見せした。それは既にずいぶんきれいな画面が出るようになっており、多くの方々の関心を集めることができた。

私はもとよりその時、ベアードさんのものなど機械的テレビジョンをもよく観察してきた。しかし、そのころ既に機械式のテレビは行きづまりつつあった。ダンスなどを映してもただモヤモヤと画面が動いているという程度のものであったし、それを改善する決定的な方法も見つかっていなかった。そして私の電子方式の説明により、以後世の中は急速に全電子方式の方へ転回しだしたのである。

帰国後、私は精力的に米欧での見聞と自身の考え方を報告した。学会の方々や放送関係、電機メーカーの皆さんには、報告講演会を催してお話した。電子式テレビジョンがついに実用化の段階に入ったこと、そして世界中がそちらの方向へ動き出し、急速に進歩することが必至であること。

私の報告は各界の皆さんの関心を呼びおこした。日産コンツェルンの鮎川義介さんとそのグループの方々が、私の報告を聴いてテレビに注目し、その事業化をめざされて私を日産へ誘って下さったのもこのときである。その申入れ自体はお断りしたが、大変嬉しかった。お断りしたのは、テレビの研究・事業化には長い準備期間と資金が必要であり、当時の日本の私企業ではとても支えきれないだろうと思われたからである。その事業化はＮＨＫのような公共企業体にこそふさわしい、私はそう考えていたのである。

こうして私の報告は、センセーションをまきおこした。連日の新聞報道でわたしの呼称にも「テレヴィの権威高柳健次郎」といったものが用いられおもはゆかったが、ブラウン管など私の発明したものがようやく世に祝福されるようになったのだと思い、誇らしい気持ちでもあった。

◈全電子式テレビの完成——チーム研究の成果

さて、こうして昭和九年、七〇日余の欧米視察から帰った私は、早速研究室の全員を集めて、ツヴォルィキン博士のアイコノスコープこそ我々が多年探し求めていた積分方式撮像管であることを万感の思いをこめて語った。そして、今後は研究室の総力を、浜松高工式アイコノスコープの完成に向けよう、一日も早くそれを作り上げようと提案した。

すなわち、研究員はそれぞれテレビに関する幅広い研究に従事していたのだが、それを一時中断して、当面の目的を積分方式撮像管一本に絞りこみ、徹底的な共同研究を推進しようと訴えたのである。

研究員は全員賛成してくれて、細かく担当部門を分け、テーマを決めて全力をあげて研究してくれた。私たちは一週間おきに研究会議を開いて報告し、お互いに報告について遠慮なく意見を述べあい、次の段階へ向かって激励しあった。一人は信号板の光電微粒子の製法について画期的な発明をしてくれたし、またある者は、信号板を撮像管の中に封入するよい方法を考え出すなど、誰もがみな適切な改良を行なった。

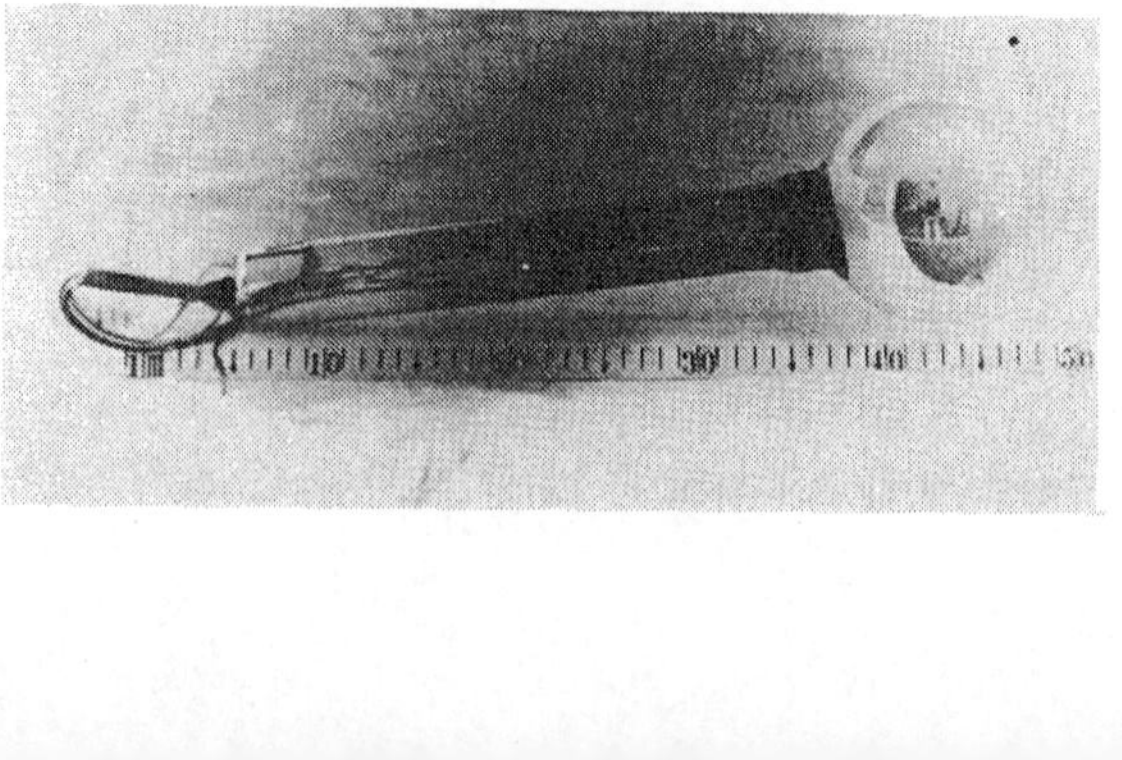

試作に成功したアイコノスコープ

私は一生を通じて、これほど充実した研究生活を送った時期はないと思う。実際的な成果も大きかったが、多くの人たちと心を一つにして、しかも一人一人の能力を最大限に発揮するという雰囲気がおのずと作られていった、そのこと自体が貴重なことだったからである。

このアイコノスコープの共同研究は、テレビジョン研究施設の設立当初から私が願っていた「チームによる研究」のあり方を飛躍的に進歩させた。私はこれが、わが国の産業技術の研究開発史上おそらく最初の、短期間に実質的な成果につながったプロジェクト・チームと言ってよいのではないかと思う。こうした研究のあり方は、今日の世界では当然のことともされているが、当時はそうではなかった。学者であれ発明家であれ、その人だけが卓越した知識を持ち、独占し、弟子たちはまったくの補助協力者として扱われて、重要なことは何ら教えられず、弟子自身が生み出した成果さえ先生のものとされてしまうという時代であった。こうしたしくみからは、大きなシステム的開発が可能となるはずもな

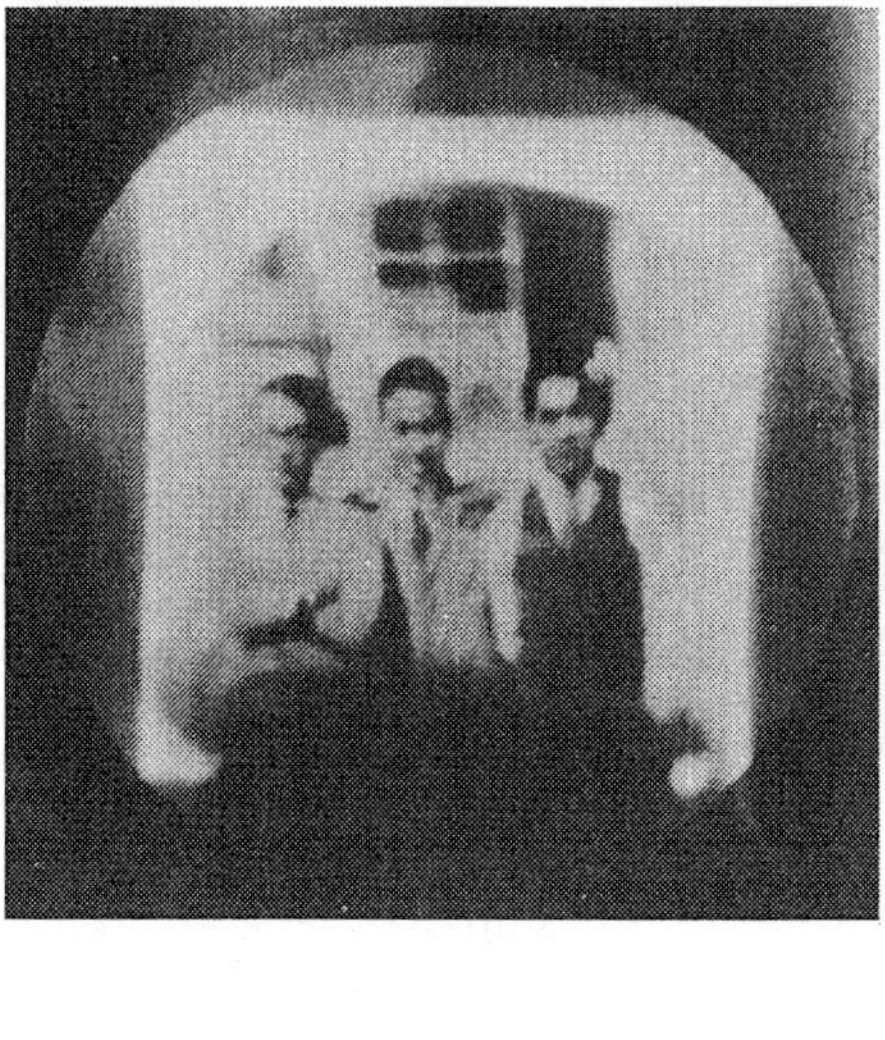

アイコノスコープによる最初の映像

い。私たちは、そういう古い方法を乗りこえることができたのである。

そしてそれから一年後、昭和一〇年一一月に、私たちは撮像管の最初の試作品を完成させ、それをテレビカメラとして組みたてて校庭へ持ち出した。自然光で校庭の景色を撮影しようというわけである。

ブラウン管の画面を見つめる。走査線は二二〇本となっていた。「映った！　景色が映った！」私たちは鮮やかな画像を目で見て本当に感激し、手をとりあって喜びあった。この時の気持の昂ぶり、感動、それを忘れることはできない。この時こそ、浜松高工式全電子式テレビジョンが完成した時である。

ただ、実験してみたところ、陽の当る明るい光景であれば非常にはっきり写るのだが、少し陽がかげったり、夕方になったりすると、ひどく雑音が増えて写りにくくなり、シェーディングという歪みが生じる。私は理論上、感度は人間の眼と同じくらいにまで上がると思っていたので、これは大変意外であった。理想の感

完成したアイコノ・カメラと並んで

度の一〇〇分の一ぐらいということで少々ガッカリもした。そしてその原因を捜して改良しようとした。その結果、なかなか思いどおりにはいかなかったが、次第に改良され、昭和一二年には、走査線も四四一本と増やし、毎秒三〇枚を映すようにして、今日のものに匹敵する高精細度の画像が得られるようになった。

◈東京オリンピックでの放送準備

さて、ちょうどそのころ、昭和一五年に東京でオリンピックが開かれることが本ぎまりとなり、それをNHKがテレビジョンで中継放送しようということになった。そして、どのような方式を選ぶかが問題となって種々検討され、結局、私たちの浜松高工式電子式テレビが採用されることとなった。

そしてある日、NHKの技術担当役員をしていた米沢与三七さんが浜松高工へ私を来訪され、東京オリンピックを東京と大阪でテレビジョンで見られるように準備をするためにNHKへ来るようにと申し入れられた。

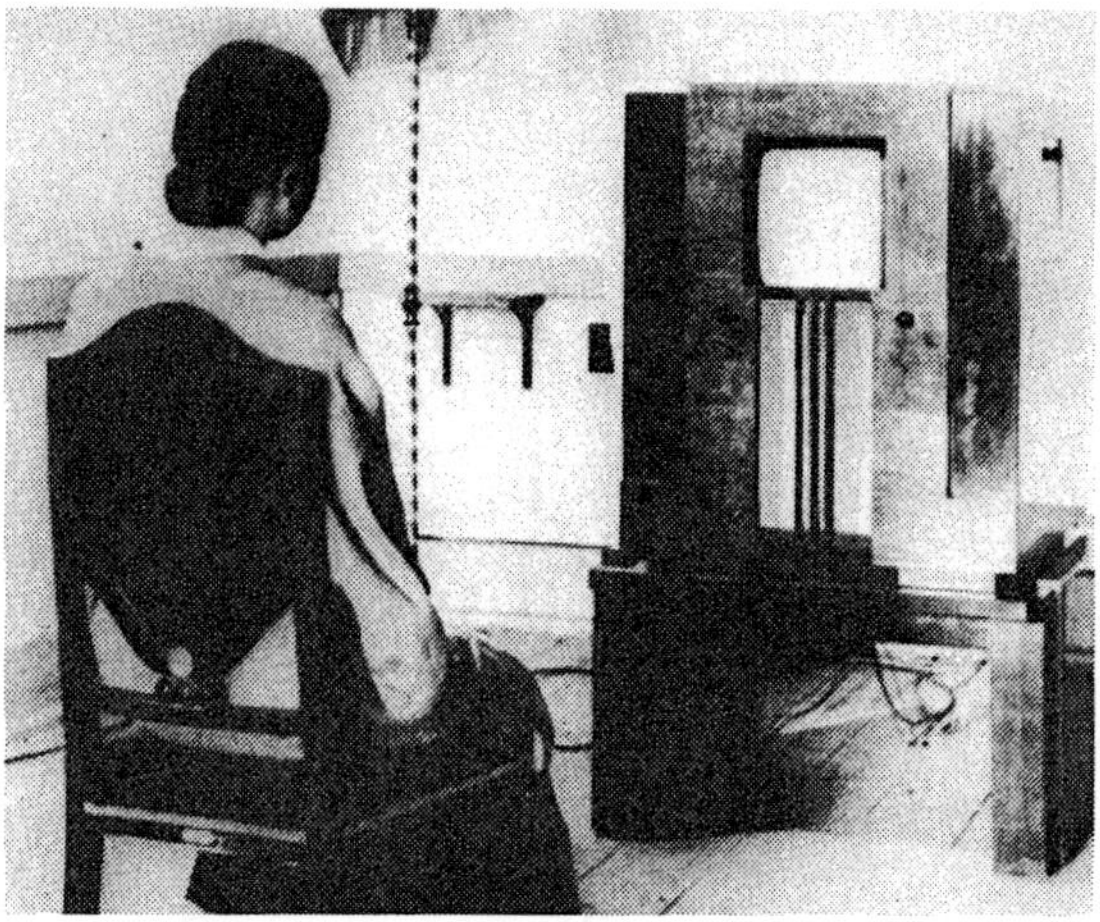

昭和一〇年ごろの浜松高工の受像機

私は大変驚いて、すぐに学校長に相談に出むいた。驚いたのは学校も同じで、浜松高工の名物のように言われていたテレビジョン研究施設の責任者である私をどういう形で「移す」のか、二〇人以上の研究員をどうするのか、何度も何度も学校と文部省、ＮＨＫなどとの折衝がもたれた。その成行きにはマスコミも関心をもち、新聞紙面をにぎわす話題ともなった。

結局、浜松高工に籍を置いたまま、技術研究所テレビジョン部長という資格でＮＨＫに出向という形をとることになった。そして昭和一二年八月、浜松から東京の下北沢に居を移し、砧のＮＨＫの技術研究所に二〇人ほどの研究員を引きつれて着任した。

ＮＨＫは、テレビの実験局を準備するために、沢山の人材を揃え、莫大な研究費を用意してくれた。私の連れていった浜松高工の約二〇人のほかに、元から技術研究所にいたテレビ関係の数十名、そして新たに採用した人をも加えて、技研だけでも一九〇名以上ものスタッフが集まったのである。無線機器メーカーの技術者も大勢協力してくれた。

昭和十一年八月十九日

テレヴィの高柳教授

日日 放送協會入りに難

『引抜かれては學校が困

安達校長回答

高柳教授

教授の職を

兼任の條件

テレヴィ實用化

高柳教授總帥に

實現第一歩へ

正式に放送協會入り

浜松高工からＮＨＫへの移転問題を報ずる新聞記事

また逓信省（今の郵政省）の支援も文字通り全面的というべきものであった。電気通信学会を指導してテレビの標準方式を決め、送像装置、受像装置など諸機器の規格を定めたり、東京から大阪への中継線を準備したりしてくれたのである。

また、当時NHKの経営に当っておられた小森七郎会長は、経費の節減、冗費の切りつめに厳しい方であったが、ことテレビ研究に関しては、必要なだけの資金を惜しみなく投じて下さった。後に昭和一四年五月に初めて実験電波を発したとき、小森氏からこの技研でのテレビ研究に費した金が二年間で三〇〇万円もの巨額に達したことをうかがい、大いに感激したことを覚えている。

◈ 研究開発体制

さて、テレビの技術は基本的にはでき上がっていたわけだが、実際に放送するとなると実に様々な準備が必要であった。そして、オリンピックは昭和一五年九月と決まっているのだから、何がなんでも三年の間に実際に放送できるところまでもっていかねばならない。私はここでまた、浜松時代の経験の上にたって、大規模なテレビ実用化プロジェクトの運営に当ることとなった。

全くの研究段階から実用まで、その過程に思いがけない難問がたくさん隠れている

昭和一四年のNHK技研のスタジオ

のは、どのような技術にも言えることである。私たちは、それを三年という限られた期間に一挙にすべて乗りこえようと決意したわけである。そのため私は、たくさんの研究班を編成して、それぞれの課題を明確にした。つまり、綿密なプログラムを作り、何月何日までに何をどこまで、次はどこまでと、三ヵ月毎の詳細な実施計画を作ったのである。

どの班の研究者も、その計画を実行しようと全力を挙げてくれた。着々と進行していく状況を見て私は本当にたのもしく思った。もっとも、理学的な研究者と工学的な研究者の研究スタイルの違いに悩んだこともあった。基礎材料班などの研究者には、三年というような期限切りの仕事の経験がなく、とまどいがあったからである。基礎研究と実用化研究を同時に進行させるという難しさを味わったわけだが、私は彼らに、まず普通になんとか使えるものを作り出し、基礎研究はその後もじっくり続けるという方法を採るように要請した。そして何とか歩調が揃うようにしてもらった。

こうした経験はまた私に、研究開発のあり方について多くのことを教えてくれた。個々の人が自信をもって研究を進めると同時に、全体としての水準が上がり、目的に近づくというのは、意外に難しいことなのである。浜松高工での共同研究から始まって、そしてこのＮＨＫ技研での研究、そして戦後のビクターでの研究を通じて、私は、私なりの大規模研究開発プロジェクトの進め方を身につけ得たと思う。その具体的な内容はまたあとで述べることにしよう。

さて、ともかくこの放送の準備は極めて多岐にわたった。

まずテレビの器材としては、私が浜松で作った受像管と撮像管があるだけで、他には何もない。性能を向上させるとともに、一個や二個をコツコツと作るというのではなく、沢山の機器を作って製作費もできるだけ安くし、普及させねばならない。そのためには、標準規格を決めたり、操作が簡単にできるようにしたりするということが、どうしても必要になってくる。

まず性能の向上については、技研の中に撮像管を作る研究所を設け、そこに光電面や螢光体を製造し供給する研究室も作って態勢を整えた。テレビの技術標準としては、走査線四四一本で毎秒二五回という映像とすることにした。また、超短波の電波を使って放送するために、その送信および受信装置も新たに開発しなくてはならず、この研究にも大きな努力が払われた。

さらに、私は既に昭和一〇年にテレビの画像を映画のように大きく映して大勢の人が一度に見られるような装置も開発していた。誰にも理解しやすい技術だということもあって注目されたものである。これも改めて研究の俎上にのせられた。

また私には、テレビ本来の仕事だけでなく、本放送の準備をするための仕事があった。放送所を建てる敷地を決めたり、さまざまな放送用機器を注文したり、またオリンピック中継をするのだから、移動カメラや中継車も必要だった。

こうして私は極めて多忙な日々を送った。早朝から深更まで、文字どおり寸暇を惜しんで働いたのである。もちろん忙しかったのは私だけではない。私の無理難題とも言える注文に寝食を忘れて応えてくれた研究陣みな同様であった。中にはとうとう健康を害して途中で倒れた人もいる。まことに申しわけないことをしてしまったと思っている。

◈ オリンピックの中止と実験放送

ところが、そのころ日本をとりまく国際情勢は極度に緊張・悪化してきていた。昭和六年に始まった満洲事変が次第に進行して、NHKに移りテレビ放送の準備に入った時期にはもう日中間の全面戦争にまで拡大していた。そして日本は国際的に孤立の度

中継用のテレビ自動車

を深め、英国や米国などの関係も次第に険悪なものになっていった。こうした中で、沢山の資金や資材を費やすテレビの実用化計画への風当りも強まってゆき、世論が次第に冷ややかになるのを肌で感じることも出てきた。

そして、昭和一三年七月には、オリンピックの開催自体が返上され、東京では行なわれないことになってしまった。私たち研究員ががっくりと落胆したのはいうまでもない。そして一四年になると、テレビジョンの本放送もとりやめにすることが正式に決まった。それまで、ただひたすらオリンピックをめざし、本放送をめざしてきただけに、私たちの胸中はただ無念の一言につきた。

けれども、せっかくここまできて、やりかけで終わってしまうのはあまりにももったいない、研究開発用に実験局を作らせてほしいとお願いし、許された。実用化はともかくとして、研究だけは大いに進めた方がよい、そんなに沢山の資金や資材を必要とするわけでもない、と説得した効果があったわけである。

完成したＮＨＫ技研のアンテナ塔

私たちは、NHKの砧の技研にスタジオを作ってそこにカメラなどをおき、五〇〇ワットという小型の超短波の送信装置を作って、高さ一〇〇メートルの鉄塔の上から、東京一円へ放送できるようにした。オリンピック返上、本放送中止と続いてすっかり落胆していた研究員たちもようやく元気をとりもどし、また懸命に工夫を重ね、昭和一四年五月に、実験局が完成した。そして第一回の電波の発射実験を、ちょうどそのとき東京の内幸町に完成した放送会館の開館式当日に実施し、会場で受信して、参会者に見ていただいた。

これが、電波を使ってテレビジョンを公開実験した最初である。もちろん私は既に浜松で短波を使った実験を行なっていたが、五〇ワットくらいの弱い出力であり、浜松市内だけの非公開実験でしかなかった。

さて、実験放送は、さまざまな内容のプログラムを組んで一週間に一、二回の割合で行なわれた。そして、東京市内のどこでもきれいな画像が得られるように受像機の感度を上げること、操作しやすくどんなものでも写せるカメラを作ることなど、具体的な点について改良が加えられた。そしてこのころの日本のテレビ技術は、世界のどの国と較べてもけっして劣らない第一級の水準にまで達したのである。

このころ、先にも述べたが、昭和八、九年のアイコノスコープの完成のころを機

昭和一五年の画像

に、欧米では機械式テレビから電子式テレビへの地すべり的な転換が生じていた。私やツヴォルィキン博士の主張は、この時に至ってついに世界中で受けいれられ、実現したのである。

◈ 二度目の欧米視察

そして私は、国際情勢の緊迫の中で、うっかりすると欧米の研究状況が見られなくなる可能性が大きいと考え、昭和一四年七月に二度目のテレビ事情視察に、アメリカとヨーロッパを訪れた。日本と同様、各国でも急速にテレビが進歩していると予想され、ぜひそれを実際に見ておきたかったのである。

アメリカでは、既に昭和一一（一九三六）年から、サーノフさんとツヴォルィキン博士のRCA社が、NBCという放送局を通じてテレビジョン実験局を作り、エンパイア・ステート・ビルから試験放送をしていた。そして昭和一三年からは、それを定期放送としている。

私はニューヨークで、エンパイア・ステート・ビルの放送施設を見せてもらった。演出がとてもうまかったこと、ビルの頂上にある送信装置付近がひどくきゅうくつだったこと、映像は、監視用受像機の生の絵と放送された絵とがほとんど区別できな

テレビの受像公開に見入る人々（昭和一五年）

いほどですばらしかったこと、ただ、メーシーという百貨店におかれたものは、まわりの明るさで画が見にくかったり、調整がむずかしくてうまく画が出ていなかったことなどを、今も鮮やかに覚えている。

その後ヨーロッパも訪れたが、ドイツでは、閉幕まぎわのラジオ・テレビジョン展へかけつけた。展覧会には、一台の大型のほかは、小さな家庭用受像機が何台か並んでいるだけで、実にそっけない雰囲気であった。しかし、これが実はすばらしいものであった。当時ドイツでは、私の第一回目の訪独のおりとは異なり、電子式の撮像管を用いた実験放送が行なわれていたのだが、ヒトラーはここで、一家に一台の受像機を〟と唱えて、国民受像機の開発・製作を命じていた。そしてその小さな受像機こそが、その完成の姿だったのである。また送像施設についても、アメリカよりも優れたレベルのところまで行っていたようである。

またイギリスでも、ベアードさんの装置はすっかり姿を消し、ＥＭＩ社が納入した電子式の撮像管（アイコノスコープを模倣して作ったもの）がとって代わっていた。そして実に面白い番組を作っていた。技術の独創性という点ではともかくとして、実用化という点ではイギリスは他に先行していたのである。

◈第二次大戦と研究の中断――電波兵器研究へ

私がイギリスにいる時に、ヨーロッパで第二次大戦が始まり、私はロンドンに閉じこめられてしまい、国の人たちにずいぶん心配をおかけしてしまった。そして、V2などで攻撃され、戦火に脅かされるロンドンから、避難船氷川丸でアメリカへ脱出し、そこから帰国することができた。この時の同じ船には、昭和六〇年三月に亡くなられた文学界の長老野上弥生子さんなどが一緒に乗っていた。

そうこうしているうちに、時局はいっそう緊迫し、ついに一六年一二月八日、日本は第二次大戦に参戦し、太平洋と中国大陸等を舞台として総力戦に突入することとなった。そして、その日から、テレビジョンの放送電波を発することはもとより、研究自体が禁止されるに至った。

そしてNHKの技研は、暗いところで敵の行動を察知するためのノクトビジョン(暗視装置)や、レーダーなど電波兵器の開発を命じられた。また私自身も、徴用されたということになるのだろうか、高等官三等の海軍技師という資格で海軍技術研究所に所属するよう命ぜられ、まずレーダーの研究を手伝うことになった。

こうして、テレビジョン研究の一つの時代が終わった。それは、ちょうどテレビが実用化できるところまで到達したその時のことであり、私が研究テーマとしてそれを選んで一八年目のことであった。中村幸之助先生の訓話のとおり、私は二〇年をかけて一つの技術を作り上げたのだが、大きな戦火の下では、それは開花することができなかったのである。

私はテレビジョンの研究過程を通じて、アメリカの科学力、技術力、そして総合的工業力の強大さをよく知っていた。アイデアの段階では我々が一歩先んじていても、真空管について、螢光体の純度について……、そうした技術の据野をなす工業力のところで遅れをとることが多かったのである。だから、この戦争は、本来太刀打ちできない相手と争うことであり、何とか避けて欲しいと思っていた。しかし、私は、当時のほとんどの日本人と同様、いったん戦争を始めた以上、すべてをなげうって軍に協力し、国家に奉公しなければいけないと信じていた。

ともあれ私は、海軍技研電波兵器部長の名和武少将の下で研究に従事した。そして名和さんが中将となって新設の第二技術廠長となられ、私も横須賀に近い六浦の広大な技術廠で航空用レーダーの担当部長として単身赴任することとなった。この間、飛行機にテレビ・カメラを載せて敵艦を偵察し、その画像を後方の基地に送って迅速な作戦立案に役立てようという研究を行なった。実用化はできなかったが、飛行機に搭載できるような小型のテレビ・カメラや受像機を試作したりして、貴重な成果を得たのである。

また、今日でいうスター・ウォーズを思わせるような研究にも関与した。つまり、強力な極超短波の発信という海軍の特別研究があり、静岡県島田市で装置の研究が行なわれていた。当時としては大変有力な研究者たちが集まって、強力な電波を発生させることができるようになり、ある程度の成果を収めていた。しかし、飛んでいる飛行機を落とすためにそれを実用化するところまでは行かなかった。

昭和一九年、研究の指導をして欲しいという依頼を受け、島田へ行って装置を拝見した。そこでは、五キロワットぐらいの持続電波を出して、それを障害物に当ててその中の電気配線をこわしたり、人を傷害したりするということが考えられていたが、私は、それではあまりに力が弱くて長い時間をかけないと効果は全然出ない、と助言した。そして、電波砲のように衝撃を与えて機器を潰したりするためには、その強さを一千倍も一万倍も強くしなくてはならず、それには瞬間的に出力するものでなくてはいけないと提案した。すなわち、五キロワットよりずっと強い電気を使い、それを蓄えておいて、一〇分の一秒か一〇〇分の一秒かの瞬間だけパシッとエネルギーを放出してしまうようにすれば、ちょうど写真のストロボのように、いきなり雷が落ちた

飛行機搭載用の小型テレビ・カメラ

ような状態になり、燃え上がったり壊れたりすると考えたわけである。しかし、これもいかんせん研究着手が遅すぎて実現しなかった。

◈ 戦争と工業力

私はこうして兵器研究で大戦期を過ごしていたが、戦火が激しくなるにつれて、日本の技術力・工業力が日に日に落ちていくのを肌で感じないわけにはいかなかった。研究開発費は終戦まぎわまで潤沢であったし、研究員はみな安心して研究に専念できたのだが、何を考えたにしても、それに必要な機械器具を作る一般工場の能力がどんどん落ちていくのである。緒戦のころは、真空管をはじめ良質のものが豊富に調達できた。ところが戦争末期になると、予算はあっても作ってくれる工場がなく、工場はあっても、技術・技能が低くて性能的にとても使いものにならないということが多くなってきた。

近代的総力戦とは何か、それに勝つには何が必要か、それを私たちは、身にしみて思い知らされたのである。原燃料や資材・兵器の備蓄量の量の多さだけではなく、それをコンスタントに供給していく総合的工業力こそが問題なのである。

そうしたことを何度も何度も経験しているうちに、ついに昭和二〇年八月一五日がやってきて、終戦の詔勅を受けて戦争が終わった。私はそのときも第二技術廠にいた。

敗戦は私に大きな衝撃を与えたが、それとともに大きな責任を感じ、それが私の心を締めつけた。何も国家のためにお役に立てなかった。どの電波兵器も、実験では成功しても実戦では結局モノにならなかった。私は本当に申しわけなく思ったのである。そして、「民間にいたことにするからすぐにＮＨＫに帰れ」という名和中将の親切な申入れもお断りして、終戦処理のために海軍に四、五ヵ月も残って進駐軍との交渉などを済ませ、それからＮＨＫに戻った。

◈戦後のテレビ再出発の挫折

ＮＨＫに帰ると同時に、私はテレビジョンの放送再開の準備を始めた。太平洋戦争の開戦前、あと一歩で実用開始というところまで到達しながら挫折したテレビ放送の夢を、平和を回復した今こそ実現したいという願いはもとより、いま一つ、戦後の日本が新たな発展を遂げるには抽象的なことを言っていてもだめだ、エレクトロニクス技術を高度に発展させ、電子工業を大いに盛んにすることがぜひ必要だという確信をもっていたことがあり、そしてそのためには、まずテレビジョンの実用放送を実現して、その機材を開発し、発達させて、広く普及させることが必要だと考えていたからである。

そこで私は、当時の逓信院総裁の松前重義氏にお話しして応援していただくこととし、そしてＮＨＫの首脳陣にも、実験放送再開と本放送の準備を認めていただいた。私たちは、ＮＨＫの技研に残っていた装置を復活させて、早速準備にとりくんだ。その装置は出力五〇〇ワットの弱いものだったので、それを早く本放送の設備に格上げして、大々的に研究も進めようと考えたのである。

ところが、昭和二〇年の年末ごろから、急にＧＨＱから横ヤリが入った。テレビジョンの研究は、電波兵器のような軍事用の研究と非常に関わりが強く、好ましくない。今後いっさい研究はまかりならん。無線によるものはもちろん、有線のものの研究も全面禁止するというわけである。

それを告げたのは、スネーグルという少佐であった。スネーグル少佐は私を呼んで、「気の毒だが、こういう決定が出たから、もし研究をしていることがわかったら厳重に処罰する」と言い渡したのである。

テレビの実用化こそが日本の平和的復興の一つの大きなきっかけになる。そうしなければいけない。こう信じていた私は、その場にへたりこんでしまいそうな衝撃を受けた。悄然とした気持ちと、もっていきどころのない憤懣を抱えて研究室に戻った私は、手のふるえる想いで、「GHQの命令により、テレビの研究は一切禁止された」という達しを紙に書き、一つ一つの部屋の前に貼り出した。そしてその一方でテレビジョンの研究部を解体し、そこの研究員をラジオ部門やその他の部門へ全員配置転換してもらうよう手配を始めた。思いは色々あったが、GHQの命令は、当時まさに絶対であった。

◈ テレビジョン研究者三〇人の職探し

ところが、一応そうした処理が終わってホッとしたところへ、また追討ちをかけるように大きな問題がもち上がった。軍部関係の仕事に従事していた者は、通信や放送のような公共事業に携わってはいけないというのである。昭和二〇年の年末もおしつまってのことであった。

終戦のおり海軍の名和中将に「君たちNHKからの研究員は海軍にはいなかったことにするからすぐに戻れ」と言っていただいた勧めに従っていれば、あるいはうまくいったのかもしれないとの思いが頭をよぎったが、もはやどうしようもない。

私自身も本当に困ったが、いちばん困ったのは、私についていっしょに研究していた人たちのことである。テレビジョンの実験放送を始めようということで、私は、海軍で電波兵器の研究をしていた青年士官たち約三〇〇人の中から、非常に優秀な方だけを集めて意向を聞き、私に従ってテレビの研究をしようと思う人三十余人をNHKに推せんして、既に採用を決めてもらっていた。そこへ、テレビ研究の禁止だけでも困るのに、放送局に勤めること自体を禁じられ、まことに事態は深刻となった。私自身を含め三十数人が文字どおり集団で路頭に迷うという状態に陥ったのである。

私自身は、浜松高工に教授としての籍が残っていたので、帰って教官として働くということもできたが、禁止されたとはいえ、テレビをこれから実用化までもっていこうという時に、学校の先生をしていてもあまり力を発揮できないし、色々考えた末、私は三十数人の仲間とあくまで行動を共にしようと決心した。NHKがだめなら電気機器の製造会社等に三十数人いっしょに入ってテレビ研究をしようと考え、あちこち職探しを始めたわけである。

しかし、私ひとりなら採用するという会社はあっても、そんなに大勢の人間をいっしょに連れてこられたのではどうしようもないというのが、どこにも共通した事情であった。戦後、たくさんの技術者が戦地から復員してきて、どの会社も、やるべき仕事はないし人はどんどん増えるという状況であったから、私の考えは、本当にムシのよいものだったのであろう。

◈日本ビクターへ

しかし私も懸命だった。八方手をつくして当っているうちに、名和中将が力を貸して下さり、東芝に紹介してくれた。私が早速駆けつけてお願いしたところ、当時の津守社長は、東芝自体ではとても無理だが、当時東芝の系統であった日本ビクターなら採用できるだろうという返事を下さった。日本ビクターは、かつてアメリカのRCA社の日本子会社であり、音響機器のソフトとハード両面について優れた実績を残していた企業である。ツヴォルィキン博士のいるRCA社の子会社であるから、テレビジョンについて熱心であったし、RCA社の技術者もしょっちゅうやってくるなど、技術的な契約関係も含めていちばんよい条件を持っていた。

私は、こうした条件をもった会社へ行って、私の技術と結合させて研究すれば、テレビジョン放送の準備をつづけることができるし、日本の工業界に対しても直接的に貢献できると思い、採用をお願いした。

やれやれひと安心という気持になれたが、当時の戦後もっとも不安定な労使関係の中で、有名な東芝争議のあおりをくって、日本ビクターでも社長が交代するなどで混乱し、なかなか採用は正式には決まらず、宙ぶらりんの状態がつづいた。そうこうしているうちに、結局は他に仕事を見つけていく人も出てきて、仲間は二十余人にまで減ってしまった。

幸いなことに、日本ビクターの新社長となった橋弘作さんは蔵前の出身で私の先輩にあたり、いきさつを話して、何とか入社できることになり、昭和二一年の七月に、私は二十余人の技術者をつれて、日本ビクターに厄介になることとなった。そして、もともと日本ビクターにいた一〇人ほどのテレビ研究者といっしょに、すぐに研究を再開した。会社の方も、とにかくテレビジョン研究に専念するようにはからってくれた。まずはめぐまれたスタートを切れたのである。

具体的には、日本ビクターが戦前RCA社から購入し、戦争中に放置されていた装置を修理し、走査線を四四一本から五二五本に増やして、改造・研究した。そして、昭和二二年には、そのころ認められるようになっていた有線でという制約はあったが、後に本放送を始める時(昭和二八年)と同じ水準の画像を得られる

終戦直後、焼けあと整理中の日本ビクター横浜工場

ようになった。

とはいうものの、入社当時は、公式にはテレビジョンは研究すら禁止されていた時代であり、日本ビクターも経済的に非常に困難な状況にあった。戦災で工場の八割を焼失し、主力のレコードの生産すらできず、他社に委託するありさまで、生産能力は壊滅状態にあったのである。研究そのものに関しても、研究費は乏しいし、資材も戦災その他で焼けたり壊れたりして残っていなかった。歯をくいしばって研究した、と言えば簡単だが、本当にやりくりばかりの毎日であった。

◈テレビジョン同好会

そうした中で私は、テレビの技術を伸ばしていくためには、どうしてもテレビジョン技術者が集まってお互いに研鑽に努めなければいけないと思い、戦前から研究していた、郵政省関係、学校関係、会社関係、さらにはNHKなどの研究関係から三〇人近くにはかって、いっしょにテレビジョン同好会を作った。日本ビクターへの入社まもない、昭和二一年八月ごろのことであった。私がその会の会長となって、毎月一回ずつ東京五反田の電気試験所で会合を開き、技術情報を交換し、お互いに練磨した。わら判紙にガリ版刷りの報告書を持ち寄って、本当に白熱した議論をくりかえしたのである。

この同好会は昭和二五年には発展・解消して日本テレビジョン学会となり、私はその会長となる。日本テレビジョン学会はその後発展をつづけ、七〇〇〇名の会員と立派な会誌をもつまでにいたっている。

一方私は、GHQに、とにかくテレビジョン研究禁止を解除してもらいたいと、三拝九拝し、理をつくしてお願いしつづけた。そして、昭和二一年の三〜四月に、文化使節団として来日したMITのコンプトン博士らが、私が先に研究室の前に貼った告知を見て、「テレビは民間のことで軍とは無関係だ。研究も禁止するなどおかしい」と助言をしてくれたりしたこともあったらしく、風向きが変わってきた。昭和二一年末から二二年にかけてのころ、テレビの有線の研究は、意外に早く禁止が解除されるにいたったのである。

◈ 実験局の放送開始

しかし、電波を使っての研究は絶対にいけないと禁止されつづけた。電波を使わなければ、受像機の研究には限界がある。なんとか電波を使わせてもらおうというわけで、私は日本電子機械工業会のテレビジョン技術委員長として執拗に、非常に強くG

HQを説得しつづけた。そしてついに、試験研究用として、NHKとメーカーが共同で使える一つのチャンネルだけを与えようという許可をもらった。これが現在の第三チャンネルである。昭和二四年のことであった。

この許可は、私たちの本来の希望からすれば全く不十分であったが、それ以前の状況を考えれば本当に大きな前進であった。これにより、ようやくテレビの実用化に向けての研究を本格的に進めることができるようになったのである。

私たちは、NHKの技術研究所の回復を待って、そこに残っていた送信装置を修理し、五〇〇ワットの出力で、実験局の放送を始めてもらった。我々メーカーは、それを東京都内各地で受けて、受像機の開発・改良を行なったのである。そして、昭和二六年ころには、デパートの屋上などに受像機を陳列し、実験を一般の方々に広く見ていただくということを繰り返して、放送の準備をしたのである。

送・受両方とも戦中・戦後の空白は大きくひびき、初めは非常に幼稚なものであったが、だんだんハード面でもソフト面でもレベルが上がってきて、テレビジョン放送の機は次第に熟してきた。戦後すぐからビクターに就職するまでの間、私はGHQの図書館で、アメリカの新聞・雑誌等々を読みあさって、アメリカでのテレビ技術やその実用化の状況がいかに進んでいるかを知って、驚きもし、苛立ってもいた。

アメリカでは、戦争中からテレビの実用化への準備がなされ、戦争が終わるとすぐに本放送が開始され、放送局も沢山できて、次はカラー放送だ、という具合で、一種のブームが起きていさえしたのである。日本での実験放送による研究の進展は、アメリカにキャッチ・アップするための第一のステップであったと言えよう。

◈ 残念だった標準方式決定の内容

さて私たちは、無線での研究が許可されたころから、日本のテレビの標準方式を考えはじめた。すなわち、走査線の数はどうするか、毎秒の像数はどうするか、周波数はどういうものを使うか……などである。各国で進められているものを色々と調査したが、アメリカがいちばん参考になったのは当然である。ただ、アメリカは既に終戦直後から白黒で放送を初めていたが、日本でこれから放送するとなれば、当然カラー放送を射程に入れて決めねばならない。アメリカとは事情が違う、というのが私の考えで

実験放送のスタジオ

あった。カラー放送を行なうには、白黒放送よりも電波の周波数として非常に幅の広いものが要求されるようになるのだが、アメリカの六メガヘルツという幅は、白黒には十分であっても、カラー放送で良い画質を得るには不足だったのである。

私はNHKや日本電子機械工業会の関係者と話しあって、アメリカよりも一メガ多い七メガヘルツという周波数幅を採用しようと合意していたのである。

そして、昭和二七年になると、郵政省の電波監理委員会が、標準方式をどうするかを諮問してきた。電波監理委員会の案では、周波数の幅は六メガヘルツとなっていた。これの方が七メガヘルツよりもチャンネルが多くとれるという利点があるし、何よりも、先輩であるアメリカの方式に黙って従えばよいのであって、わざわざ違った電波の幅を採用すれば何かと具合が悪い、経験のあるものにならっておけばいいのだ、というのがその主張であった。

しかしながら、六メガはアメリカで実行されていて利点がいくつかあったとしても、カラー放送になれば肝腎の画質が落ちてしまい、これでは何にもならない。ましてカラー放送は、ついそこまで来ているのだ。七メガにすべきだ。こう主張する私たちと電波監理委員会との間で激しいやりとりがなされた。

最初のうち、委員の中の技術者の間では、政府案より私たちの七メガがよいとする案に賛成する方がふえたが、審議の途中で、当時の読売新聞社主の正力松太郎さんが六メガの政府案を強力に支持する動きをするようになってから、政府案支持の委員がふえ、私の主張は、NHKなど少数の賛成者を除き孤立してしまうことになる。

正力氏は、当時、のちNTVとなるテレビの民間放送会社を自ら早く設立し、テレビ放送を始めようとしていたため、アメリカの標準方式をそのまま採用することが、一刻も早くテレビ放送を始めるためには不可欠と考え、またアメリカの技術の方が日本の技術より優れているに決まっているという先入観から、郵政省案を支持されたのであろう。正力氏が、経営的・政治的な見地から、技術者の意見を抑え込んでしまったことは、日本のテレビ界にとって大変残念なことであった。当時論争中に、正力氏に呼び出され、七メガの良さを説明してもわかってもらえず、逆に、政府案に従えと極めて強引に説得されたことは、戦後の社会情勢の一つとはいえ、今でも非常に残念な想い出である。

とにかくこうして、ついに政府案におしきられて、六メガヘルツの標準方式が決められてしまった。それはあまりに近視眼的な決定であり、私は今でもテレビの画面を見る度に残念に思うのである。もしそのとき七メガヘルツを採用していれば、現在のカラーテレビの画質は横の分解能が飛躍的に向上して五割も詳しくなり、切れ味のよい画像になって、皆さんのニーズをより満たすものになったはずである。一般の方々には、本当によいもの、例えばフランスなどヨーロッパのテレビ画像と比較してみないとよくわからないかもしれないが（より大きく進んだものとしては、最近ＮＨＫにより高品位テレビの開発が進められている）、今の日本のテレビ画像はひどくなまっているのが実体なのである。つまり、日本の後に放送を始めたヨーロッパ諸国は、いずれもアメリカのとおりには標準を決めず、独自の判断で決定した。すなわち周波数バンドは、ヨーロッパでは七〜八メガヘルツとなったのである。そして、走査線の数もアメリカや日本の五二五本と違い六二五本が多く、フランスでは八一九本というものを使っているし、ソ連ももともとよりアメリカと違う。

これは、かつて私が撮像管や受像管を研究していた時に、真空管を電気の技術者が研究することは異端だ、餅は餅屋にまかせろという誤った通念や主張に左右されて、研究に一時期、支障をきたしたときと、同じことである。

新しくものを始めるときは、自分のおかれた条件、自分の必要にあわせて、自分の頭と自分の手で研究・開発することが必要なのである。相手が専門家だから、あるいは先進国だから、または権威者だからといって、それに盲目的にかなめの部分を委ねてしまってはいけないのである。

◈本放送の開始——テレビ時代の開花

さて、昭和二五年、日本は各国と講和条約をむすび、まがりなりにも独立国として自分で歩くようになった。そして、電波法が改正され、テレビの本放送ができる条件が整ってきた。

昭和二八年二月一日、NHKが放送開始、同年八月二八日には最初の民間放送＝NTVが放送を開始し、引きつづきTBSも三〇年四月にテレビ放送を始めた。

NHK、民放の競争のなかで街のあちこちに受像機がおかれ、どこでも黒山のひとだかりであった。しばらくは、受像機も、当時のお金で一インチが一万円と言われたように、相当高価で、個人で買う人は限られていたが、早く購入した家には、次々と人があつまり、人気番組の時間には、まるで集会場のようになるという光景も、よく眼にしたものである。

私が研究を開始して三〇年、遂にテレビは実用化され、人々の暮らしの中に浸み透ってゆきはじめた。私は本当に感慨深く思っ

昭和二八年二月一日、本放送開始時のNHK第一スタジオ

たものである。

◈ リニア・アクセレレーター

戦争後の話をひと区切りつけるに当って、二つの心に残るエピソードを記しておこう。いずれも、戦勝国アメリカと敗戦国日本の関係が私に関わったことである。

一つは、私のテレビ以外の発明のことである。昭和二一年ころ、米軍によって、原子力の研究に厳重な制限が加えられ、それに関連する装置はすべて破壊されることになった。なかでも理研がもっていたサイクロトロンは、東京湾に投げ捨てられ沈められてしまった。サイクロトロンというのは、電子やイオンを非常な高速度に加速して物質にぶつけ、原子核の構造などを調べるための道具である。それによって生まれた研究成果が原子爆弾を作るために基本的知識として必要なのだが、そういう使い方はよくないけれど、そうした科学的研究の器材を壊したりして発達を止めようとすることは、全くのまちがいだ、私はそう考えた。そしてそれは、私自身がテレビの研究を全面禁止されて何もできなくなっているという状況と二重写しとなり、何とかして、日本人の智恵や意気ごみを見せ、あわせて、サイクロトロン投棄などは全くの愚行であることを示したいと思った。

私は、サイクロトロンとは違った方法でもっと強く電子を加速する方法はないかと考えた。そして、リニア・アクセレレーター（線型電子加速器）と言って、電子やイオンを直線的に加速する装置の原理を、昭和二一年の一〇月ごろ発明し、翌年度に特許を受けた。これは、電子を連続的に電場でひっぱって早くし、止まっているような状態から、次第に加速していくように、電子を電場で次々にけしかけていくという考え方のものである。

当時は原子力の研究は厳禁されていたから、私は、特許の申請に当っても、これを単に電子の加速装置とだけ記した。しかし、これが原子核研究に資するものであることはもちろんであり、現在もむしろ原子力研究に携わる人々によく知られているものである。

私は若き日蔵前の高等工業に入学するころ、原子の深奥を極めたいと夢みたが、その一端がその時かなったと言えよう。現にアメリカでは、戦前にサイクロトンを発明し、ノーベル賞を受賞していたカリフォルニア工科大学のローレンス教授が、私と同じこ

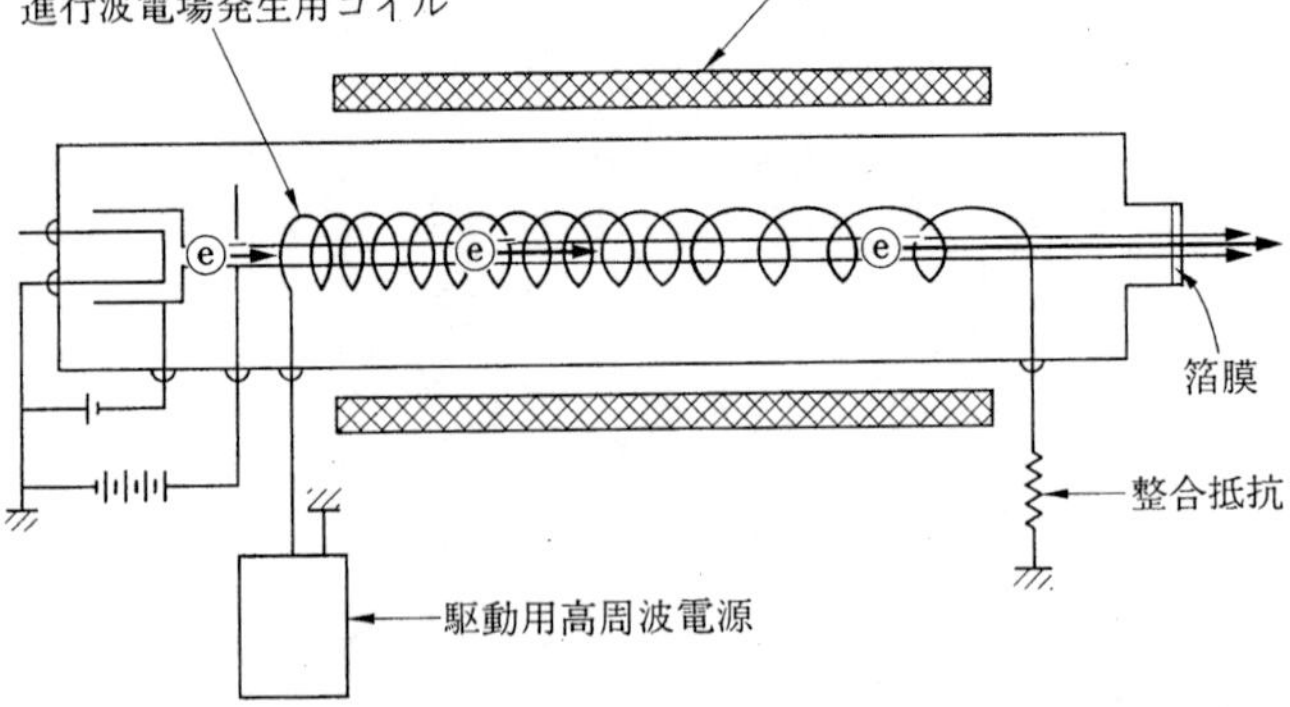

リニア・アクセレレーターの原理

ろに再びリニア・アクセレレーターの原理を発表した。そしてそうした理論に基づいてスタンフォード大学のチームが一九六二年に、五キロ以上の長さの真空トンネルからなるリニア・アクセレレーターを設置し、終点のところで数千万ボルトという高電圧で物質を破壊して原子核研究を行なった。

またこのリニア・アクセレレーターは取扱いが簡便なので、医療用、食品の殺菌用など諸方面で使われるようにもなった。しかし、私は、日本ビクターがそうした方面を手がけない経営方針であったため、その特許を内外の方々に売るという形でしか活用できなかった。私はその特許料収入等によって、電子工学奨励のための財団を作ったりする基金を得る（のちに、高柳記念電子科学技術振興財団を設立）ことができたのである。

◈ 日米間の極端な特許差別

もう一つのエピソードは、日本と連合国との間の差別的な特許の取扱いのことである。昭和二七年一一月二〇日、特許権に関する緊急勅令が出された。それは、日本人のもつ特許権は、特許が一五年、実用新案は一〇年で満期がきて消滅するが、戦勝国人の権利は、開戦の昭和一六年から二七年までの分を、日本では使おうにも使えなかったのだから、という理由で一一年延ばす、というものである。つまり、例えば同じく昭和一〇年に、日本人とアメリカ人がそれぞれ何かを発明したとすると、日本人の特許権は昭和二五年で消滅してしまうが、アメリカ人のものは、昭和三六年まで延びるわけである。

こんな不公平なことはない。私自身に限っても、当時二十数件の重要な特許をもっていたが、それらについては、一件も延長せずじまいとなってしまったのである。

また、東西の研究風土とか研究者気質の違いといったものも、こうした事情をよりひどくした。つまり、日本では、戦争突入とともに、テレビジョン研究などは中止された。そして私たち自身も、それまでの研究も、個人の研究関心もすべて投げうって、目前の戦争遂行のための課題にとりくむのが、国民のあるべき姿だと信じていた。滅私奉公は最高の徳目として国からも要求され、私たち研究者一人一人もそれに応えようとしたのである。その結果、日本のテレビ研究は、軍事研究の副産物的なものはともかくとして、ほぼ完全にストップしたのであった。

しかし、アメリカなどでは事情が違った。個人主義が深くしみとおっていて、たとえ戦争中であろうと、自分の財産はしつこく保護し、権利は伸ばしていくというやり方だから、テレビ研究も活発に続けられていたし、特許も当然非常に沢山とられてい

取得した特許

私は昭和２年10月に最初の特許申請をしてから今日までに，国内特許121件，実用新案（国内）33件，外国特許数10件を取得したが，その中で特に重要なものを下にあげる。

特許番号	名　　称	出　願　日
77293	陰極線波形管用鋸歯状波形電圧を得る装置（同期方式）	昭和２年10月
79488	送像所に機械的の分解器を用い，受像所に「ブラウン管」を使用する遠視法	２年10月
90593	テレビジョン用ブラウン管	５年３月
93465	積分法を利用せるテレビジョン送像器	５年12月
100037	テレビジョン用電路開閉装置（電子スイッチ）	７年６月
104120	テレビジョン用光電流増幅器	６年９月
104569	積分法テレビジョン送像装置の改良	８年８月
118980	管内に電極を封入する方法	10年12月
120943	飛越走査用同期信号発生装置	11年１月
177935	電子またはイオンの加速方式（リニア・アクセレレーター）	21年９月
314912	磁気記録再生方式(VTR)	34年10月
546791	磁気記録再生方式(VTR)	39年７月
実用新案		
248379	飛越走査の同期信号発生装置	12年７月
59198	テレヒジョン映像信号の磁気記録再生装置(VTR)	34年10月

たのである。それがすべて最高一一年も延長されたのだから、打撃は大きかった。まして、「カラーテレビは三原色を組み合わせて映す」などという、唖然とするような常識的なことまで特許範囲に入れて申請するというお国柄のところが相手なだけに、それを公知例を示して潰していくという手数や注意を怠ると全く手痛い思いをさせられたのである。

この教訓は、戦後、いよいよ世界の中で新技術を開発していくに当って役に立った。どんな時にも研究は中断させてはならない。また、いつも基礎的なところから考えを積み上げ、既に特許権が他にあっても、よりよいものを自分たちで作っていかなければならない、ということである。

◈ 二つの技術導入

私たちが、太平洋戦争の勃発と共に研究を中止したころから、昭和二八年にいよいよ本放送を始めようとするころまでに、アメリカで開発されて大きく進歩した技術が二つあった。

その一つは撮像管である。アメリカでは、撮像管の研究・開発が戦時中でも戦後もつづけられて、イメージ・オルシコンという新しい撮像管が作られていた。これは、前のアイコノスコープという蓄積型＝積分方式の撮像管に比べて、約一〇倍も感度がよく、ほとんどの光景を楽に送ることができるようになっていた。これを使えば、あまり照明光を強くしなくても、スタジオで撮影できるようになったのである。

アメリカにおける第二の進歩は受像器の方に生じ、以前よりも飛躍的に明るく画像が出せるようになっていた。それは、メタルバック法というものが戦後に開発されたことによる。それは、私たちが戦前NHKの技術研究所にいたときに、その基礎となる実験をして、ある程度の成功を収めていたのだが、完成しないまま戦争のために中止してしまったものであり、それが既に開発されていると知って、本当に残念に思ったものである。

それは、ブラウン管前面の螢光物質の表面にアルミニウムの極めて薄い層を張って、その薄い箔を透して電子が螢光物質をたたいて光を出すようにしたものである。外から見る人は、直接に螢光体が発する光を見るだけでなく、後の方へ行った光がアルミニウムの鏡にあたってはね返る光も合わせて見ることができ、ずいぶん画面の明るさが増したわけである。つまり、電子を自由に通す鏡をカソードと螢光物質の間においたと考えればよい。アルミニウムは電子をそのまま運んでいくので帯電するようなこともなくて、螢光体の電圧は非常に高いままに保つことができ、非常に明るく正

イメージ・オルシコンの原理

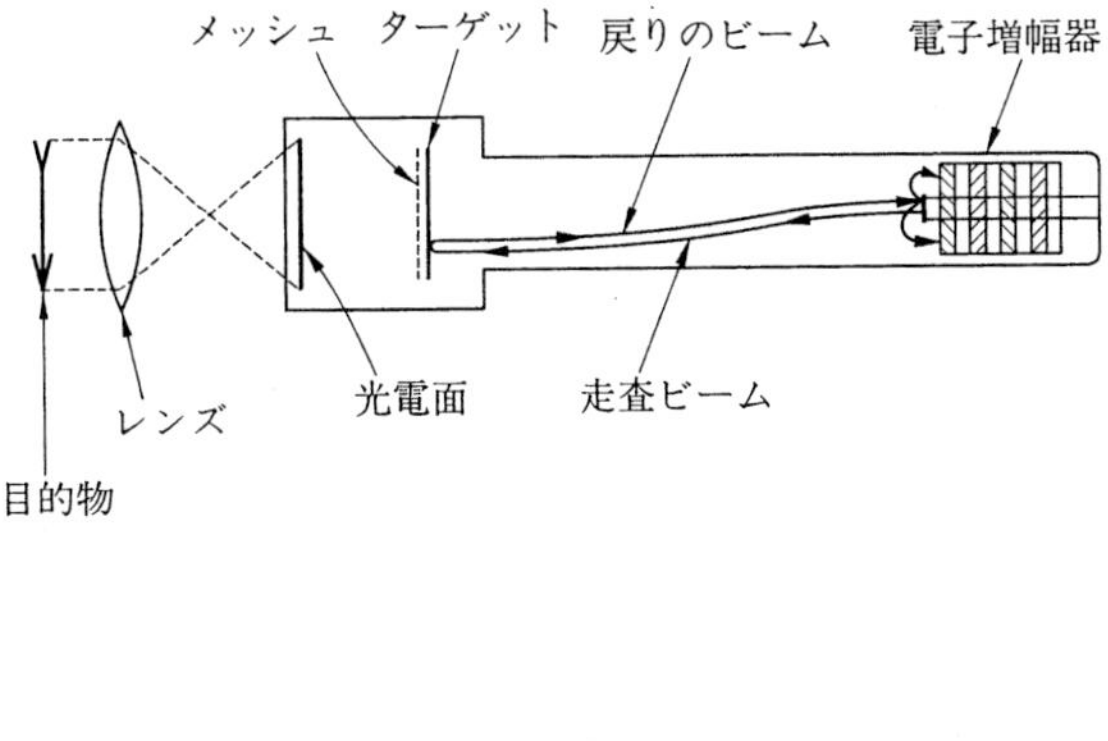

しい映像がでるのである。

私たちは、実験放送を行なうにあたって、戦時中から戦後にかけての技術的な穴を埋めなければいけないというので、この二つについて積極的にアメリカから技術導入を図った。そして、放送に実際に使えるイメージ・オルシコン管と、メタルバック式ブラウン管の製作を急いだ。

開戦時の日本のテレビ技術の世界での高い位置を考えると、この二つの技術導入は、戦中・戦後の研究の空白がいかに大きなものであったかを我々に痛感させるものであった。しかし、逆にいうと、日本がアメリカから導入した技術は、細かなものを除くと、この二つだけであった。基本となるその他の技術は、戦前に私どもが培養していたものが使われたので、実用化に当って技術的にそう困った事態は生じなかったのである。日本が世界で、アメリカを除けば比較的早くにテレビ放送の実用化を実現させえたのも、こういう土壌が存在したからなのである。

◈ 標準型受像機の決定

昭和二七年ころ、受像機をできるだけ安くして容易に普及させるにはどうしたらよいかと考え、日本電子機械工業会のメンバーが集まって相談した結果、標準型の受像

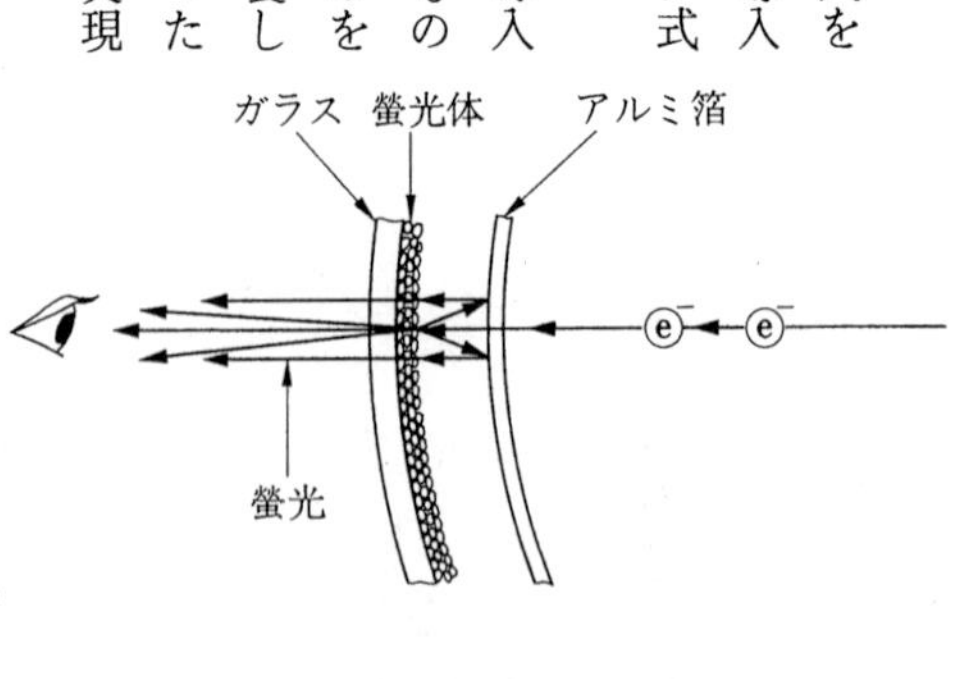

メタルバック法の原理（実際は、アルミ箔が螢光体の表面に密着している）

機を作ろうではないかということになった。

私は、技術が成熟してくれば、メーカー間の開発競争は厳しくもなろうし、またその方が人々のニーズに従ったものが作れるだろうが、当時のような全くのイントロダクションの時期には、よく協力しあって良いものを規格化し、大量生産のメリットを生かす方がよいと考えた。そして、実際的にも、当時の中心的なテレビジョン技術者は、NHKの人たちもメーカーの人たちも、あるいは戦前からの私の教え子であり、あるいはテレビジョン同好会などを通じて共通の考えにたっていたので、協力することは極めて自然だったのである。

そうして、日本の家庭でとりあえず使えるものとして、一四インチの角型ブラウン管という標準を決め、各部分や材料を同じものにそろえ、みんなで統一基準に従って生産するようにした。そのため、初めはテレビの受像機は非常に高い値段で、一台一五万円で一インチ一万円といわれたが、たちまちに値段を下げることができ、昭和三一年には七万円、三四年ころには四〜五万円で買えるようになったのである。

こうして、その後ブラウン管のサイズの標準も、一七インチ、そして二一インチへと段階を追って大きいものが加えられていった。時には一六インチのものが登場するなどイレギュラーなケースも発生したが、大勢は固まっていて、大きな変化は生ずる

標準受像機第一号

はずもなかった。

◈ 使いやすく故障しない受像機を

実用化に当って私がもう一つ非常に心配したことは、使いやすさと故障の問題である。送像機の方はこれは放送局が使うのだから、専門技術者が常に傍らにいることができ、よく吟味して故障が起きないように調整できるし、機械の寿命をあらかじめ考え、撮像管なども新しいものに換えていくようにすればよいが、受像機の方は家庭におくものだからそうはいかない。寿命が短かったり、故障が多かったりするものだと、多額の修理費がかかったりして困るのである。

当時のアメリカの状況を統計で調べてみると、一年間に二〜三回という故障率で、修理費の負担は相当に重いということがわかった。まして生活水準のまだ低い日本のことである。私は、このメンテナンスの点を何とかしないと、一般家庭用のものとしては問題があると考え、心配し、品質管理など色々と努力するようにした。

そして、放送を始めて受像機を売り出したところ、すぐにアメリカの故障率と比べて遜色ないところへ到達し、二〜三年すると、アメリカのものよりはるかに長もちするようになった。

それと同時に、画面の明るさも非常に優れたものができるようになった。これは、アメリカでは一七インチとか一九インチとかのブラウン管に使っている電圧を一四インチのものにあてはめたからである。画面は小さくても、明るく見やすいという点ではアメリカを凌駕したわけである。

明るく、故障が少ない受像機ができたこと、それがテレビジョンの普及を非常に助けたことはいうまでもない。昭和二八年の放送開始時にわずか八六六台であったNHKの受信契約数が、五年後の三三年には一〇〇万台を突破し、特に三四年の皇太子殿下の御成婚のころになると、テレビジョンはまさに爆発的な売行きを示すようになるのである。

なお、日本ビクターは昭和三一年から受像機の対米輸出を始めた。放送開始当時は思いもかけないことであった。本当に嬉しく思ったものである。その後、日本のテレビ輸出は順調に伸び、日本経済の発展をリードする役割をも担うこととなった。

テレビ受像機の急速な普及

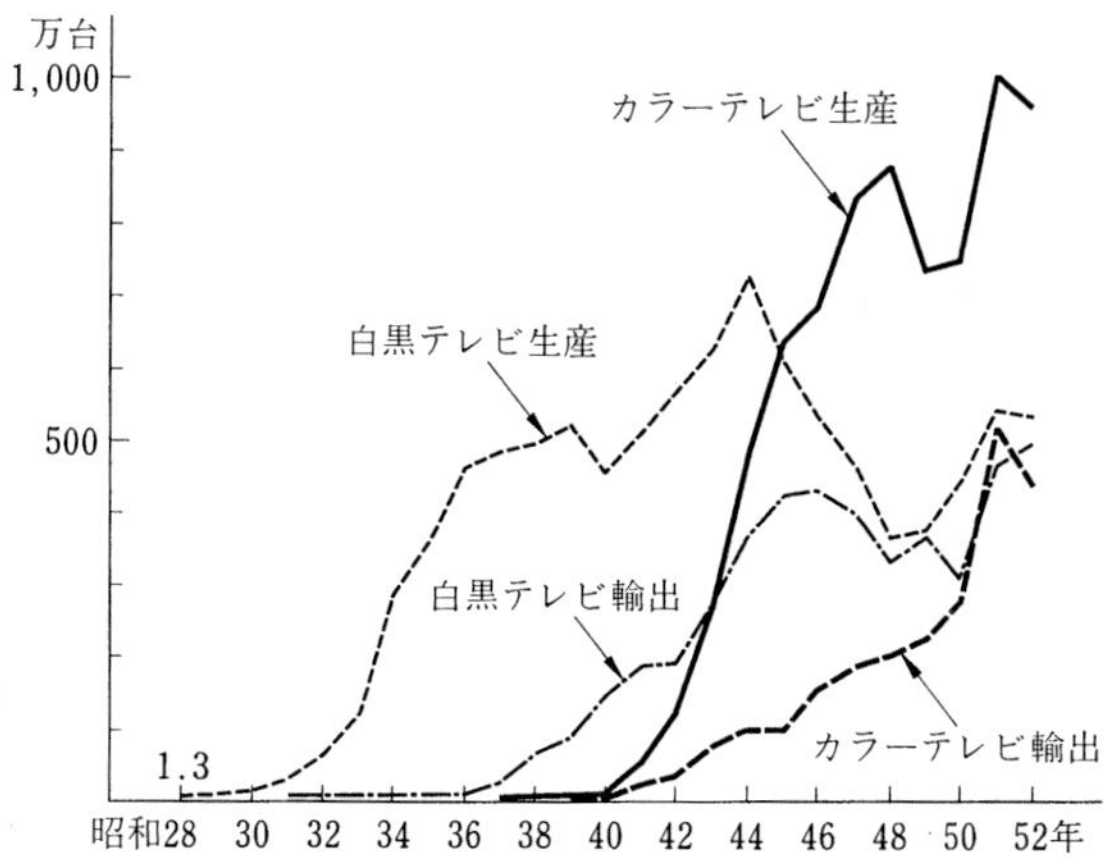

◈ カラーテレビへ

さて、白黒テレビは、こうして非常に順調に普及していったが、私にとってテレビジョンとは本来カラーで映されるべきものであった。しかも、その色は、実物の色をそのまま再現すべきものであった。

私は、昭和のはじめ、白黒のブラウン管の実用化をめざして実験を重ねているときから、放送が始められるときはカラーになるだろうと想像していた。色はどうやって出すか？ それは、静岡師範の実験で見たように、真空放電管の中に鉱石を入れて電子をぶつければ、赤でも緑・青でも、きわめてきれいな原色の光を発するから、それを利用すればよいと考えていた。そしてそれはまさに正しい方向であった。

もとよりそのころは、白黒テレビのブラウン管さえ思うにまかせない状態だったから、具体的にカラーテレビの研究をすることはできなかったが、現に機械式では、昭和三年のベアードさんをはじめベル研究所でも実験もなされていたし、私は比較的楽観していたのである。

ともあれ、カラー放送がアメリカで始まったのは昭和二四、五年であり、先にも述べたように、私たちは、白黒の放送開始のときには既にカラー放送を射程にいれていた。そして昭和三〇年代になると、ぜひ早くカラー放送に切り換えたいという希望が出てきたのである。

昭和三一年一二月、NHKはカラーテレビの実験放送を始めた。そして翌年末にはNHKとNTVに実験局の予備免許が下り、街頭にカラー受像機がおかれて人々の眼をひくようになった。メーカーでの製品化研究は既に始まっており、日本ビクターも、昭和三三年には国産第一号機をNHKに納入している。こうして、カラーテレビ本放送の気運は急速に盛り上がった。

また、カラー放送の標準方式が問題となったが、今度は、既に始まっている白黒の機器との互換性がなくてはならないから、異を唱えるまでもなく、アメリカの方式に倣い、RCA社等の開発・採用していたNTSC方式がよいということになった。

◈ カラーテレビ技術のむずかしさ

さて、カラーテレビの放送を行なうに当って、私が非常に心配していたことは、白黒テレビと較べてカラーの技術がまだまだ未熟だったことである。私は、実施は慎重にした方がよいと思った。

当時のカラー受像機は操作がむずかしく、色調も明るさも全く不十分であった。ご記憶の方もあろうが、赤はレンガ色といった方がよかったし、まっ白であるべきところも、どうしても色がのってしまい、カラーテレビというよりは「色つきテレビ」というような悪評さえ聞こえるものだった。私は、これをなんとかして改良し、一日も早く、本当のカラーテレビを提供しなくてはならないと考えたのである。

カラーテレビの原理は概略次のとおりである。つまり、外の景色の光をカメラで受け入れ、それをプリズムを用いて光の三原色に分解し、赤・青・緑それぞれの光の強弱を三つの撮像管によって、電気信号の強弱に変換する。こうして発信された信号は、受像機の中の三本の電子銃に送られ、電子銃は、その信号の強弱に応じた電子を、ブラウン管前面のこれまた三区分された螢光物質の粒に当てて、三色それぞれの光の粒子を発するようにする。我々は、その三色の光の粒子の組合せを見て、具体的な映像として受けとるわけである。

こうしてみると原理は比較的簡単だが、技術的には非常にむず

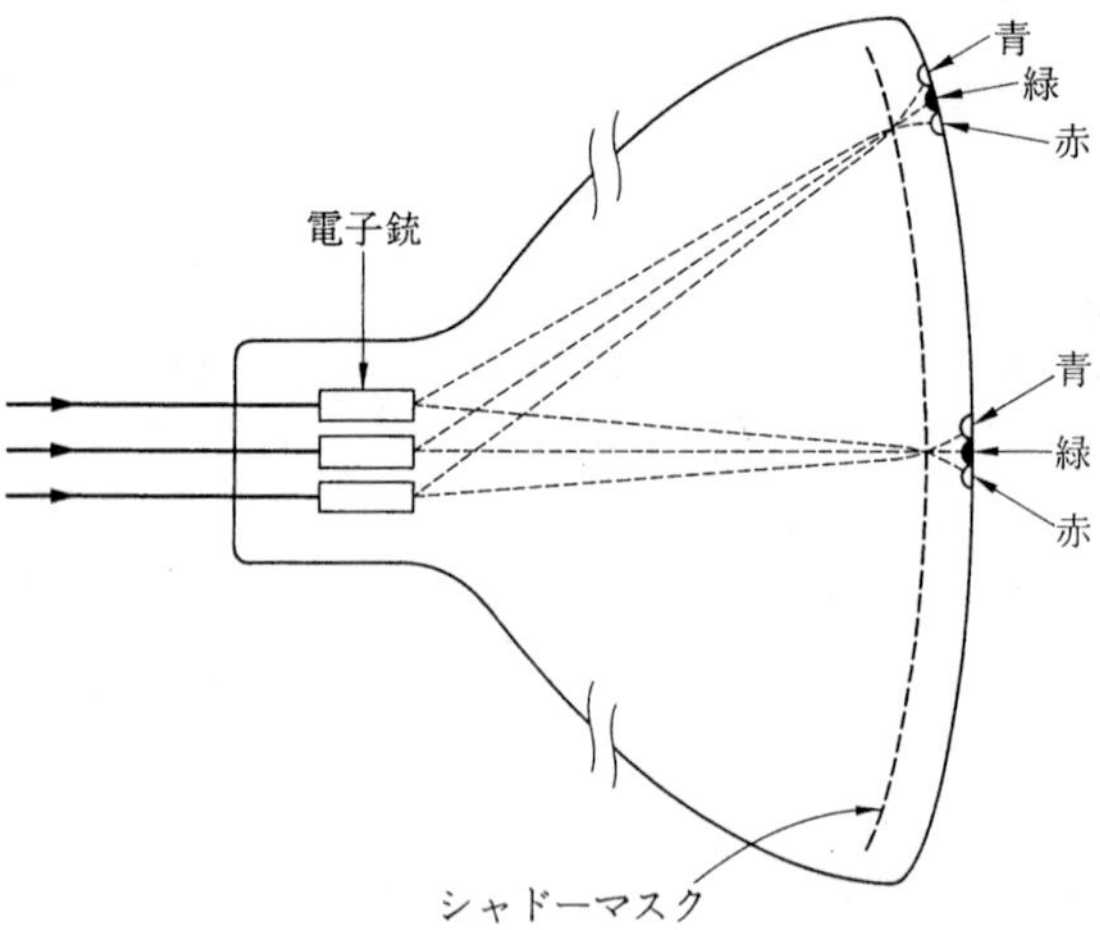

カラーテレビの原理（ブラウン管側）

かしいことが多いのである。たとえば、カメラのむずかしさがある。これは、ツヴォルィキン博士たちの努力で、一九五〇（昭和二五）年、RCA社により非常に優れたもの（イメージ・オルシコン）が開発されて、世界中で使用されるようになった。日本もこれを使って放送に入る。

受像機の方もまたむずかしかった。これもRCA社のトライ・カラー・チューブ（三色管）を使うことにしたが、これは、作り方もなかなかむずかしく、受像機の明るさがなかなか十分にならず、さらに装置の回路が不安定で狂いやすく、スイッチを入れたときはよくても、だんだんとずれていってしまうというものであった。

RCA社の技術者の努力はまことに大変なものであった。アメリカのカラー放送開始以来一〇年以上かかって、これらの弱点を改良したのである。つまり、色彩回路を徹底的に見なおして安定させ、調整つまみを少なくして素人でも簡単に調整できるようにし、螢光物質を改良したり電圧を上げたりして、明るい映像が出

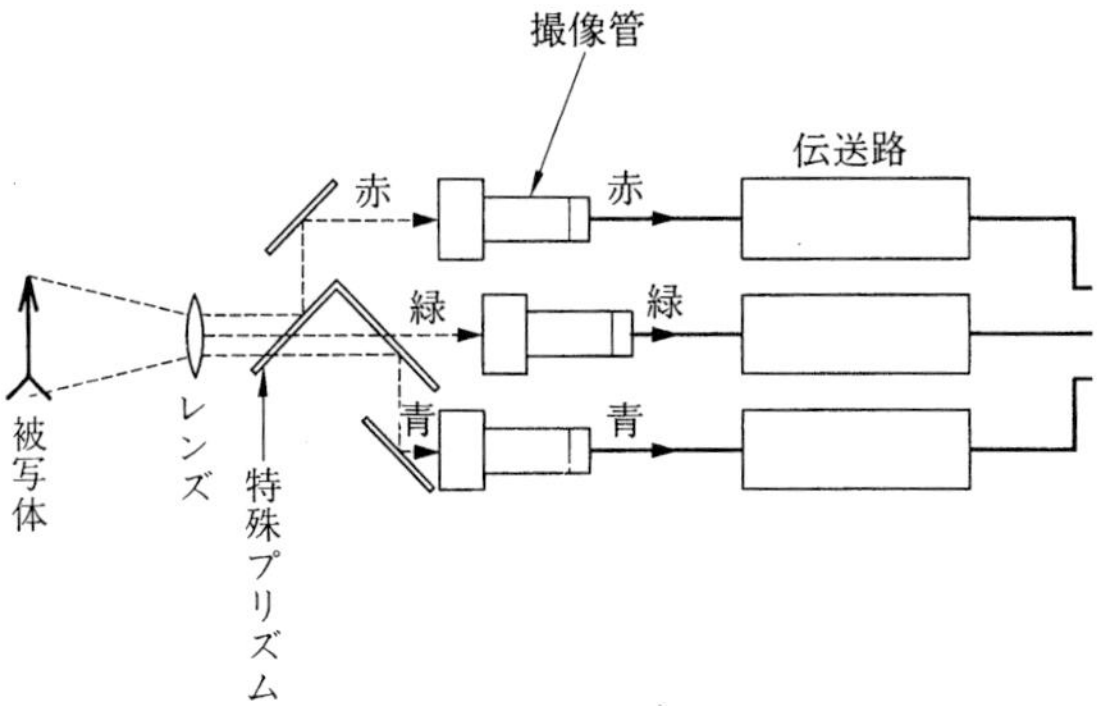

カラーテレビの原理（カメラ側）

るようにした。そして、まだ白黒テレビよりはずっと暗いけれども、それに近づいて、ようやく、まずまず実用可能なものができるようになっていったのである。

◈ 世界最高水準のテレビ技術の確立

こうして、とにもかくにもカラーテレビの実用放送が始まった。昭和三五年七月のことである。しかし、家電メーカーにとって、いや日本の産業界全体にとっての、いわば本命の商品でありながら、カラーテレビは、やはりその品質上、今一つ未熟であるとの感をまぬがれなかった。そして、これを改善して、扱いやすく、自然で美しい映像をもたらす機器を開発しようとの改良研究が、全力を挙げてとりくまれたのである。

まず撮像管については、オランダのフィリップス社がプランビコンという撮像管を開発したといってもってきた。昭和三九年のことである。それは、RCA社のイメージ・オルシコンよりも感度がよく、優れたものであった。日本ビクターも、早速その技術を導入して、非常に安定したよい色を送り出せる装置を開発した。現在は、その系統のもので、NHKの技研がさらに優れた撮像管を作り出し、感度も解像力も、放送開始ごろと較べると、まさに雲泥の差というべきものになっている。

さて、受像機については、我々自身でさまざまな改良を加え、急速な進歩が実現した。

まず、標準型受像機は、日本の住宅事情を考えて、一七インチとやや小型にしたが、そこにかける電圧は、アメリカの二〇インチ以上のクラスのものと同じにして、高電圧により明るい画像を得ることができるようになった。

また、アメリカでは円形の螢光面のブラウン管を使っていたが、実際に使うのはその中の四角形の部分だけで、縁の部分は隠されて、全く不要でムダなのである。私たちは、それをやめて、白黒テレビと同様に四角の螢光面のブラウン管にするようにした。RCA社はそれでは画像がよく出ないといって忠告してくれたが、結果は成功であった。これによりブラウン管の大幅な小型化が可能になったのはもちろんである。

次の改良は、ブラウン管のネック部分を思いきって細くしたことである。このネック部分には、赤・緑・青の三色それぞれの電子銃がまとめて入っており、それをおおうガラス管は直径二インチにもなっていた。そして、それに偏向コイルとかフォーカシング・コイルとかもついて、結果としてひどく大きくまた重くなっていた。私たちは、これを細くすることによって、資材を節約し、軽くし、そして何よりも消費電力を減らすことができると考えた。当時のカラーテレビの受像機は、五〇〇ワットとか

新しいブラウン管（右）と旧いブラウン管

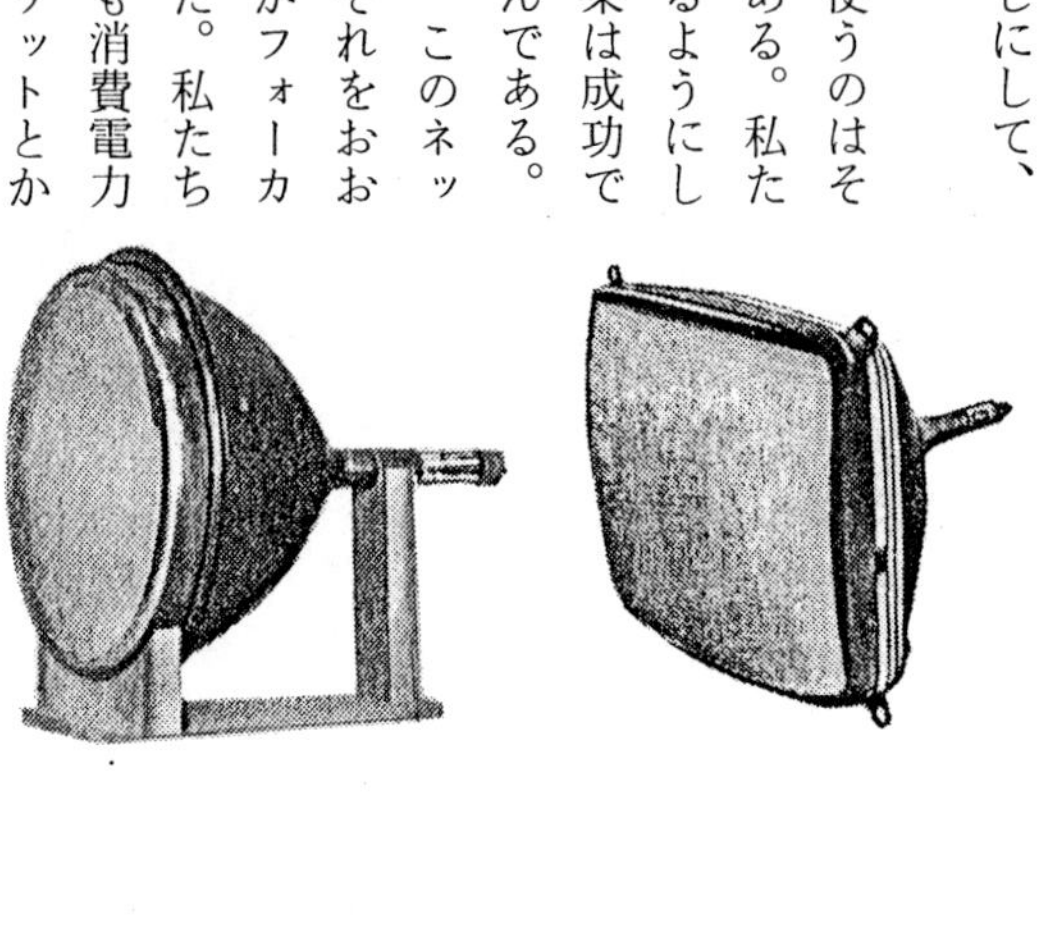

一キロワットという、まるで電気ストーブのような電力を消費して、困ったものである。

カラーテレビの三本の電子銃を、白黒テレビと同じ管の中に入れてしまうことはできないだろうか。RCA社では、そんなことはとても無理だと決めつけたが、これも私たちは実現した。すると偏向コイルやフォーカシング・コイルも四分の一ほどにまで縮小することができて、構造自体も非常にシンプルになった。そして消費電力はいっきょに一〇〇ワット程度にまで下がったのである。

さらに、回路を真空管からトランジスタ、ICに換えるなどの進歩が加わり、最近では消費電力は一〇〇ワットを下まわっている。

こうして、私たちは、RCA社のカラーテレビ技術を基礎として、コンパクトで安く、明るい受像機を開発することに成功したのである。

そして、自然で美しい色を映し出すという点でも、私たちの改良努力は実を結んでいる。放送開始当初のカラーテレビの色が非常に不十分で、まったく浅薄な、子どもの漫画のような色調で満足しなければならなかったことは先に述べたが、これを大きく改善させえたのは、昭和四一年になってからであった。私どもは、オキサイド希土類螢光体という新しい物質をブラウン管に採用して、今までレンガ色にしか出なかった赤を、鮮やかな文字どおりの赤にし、白い部分は真白に映し出されるようにできたのである。そしてこれによって他の色も非常にしっとりとして、自然な色が安定して出るようになった。

こうして、各メーカーの凌ぎを削る開発・改良競争もあって、日本のカラーテレビ受像機は、放送開始後一〇年ほどすると、世界最高の品質水準を達成した。そして国内で急速な普及を遂げる一方、アメリカその他に大量に輸出されるようになり、予想どおりわが国の代表的商品として世界に供給されて、テレビ企業は大変な急成長を遂げたのである。

◈ ポスト・カラー——家庭用VTRの発明・開発

昭和四〇年ごろ、カラーテレビの技術を確立して品質を向上させるという努力が続けられると共に、早くもいわゆるポスト・カラーの議論が始まった。

私は日本ビクターで未来の商品の開発のための技術開発に当っていたが、電気業界全体で、「カラーテレビが今後普及し、飽和点に達すると、一定量の販売はつづけることができても、それは次第に低下し、成長どころか、企業の現状の維持すら難しくなる。早く次の事業を起こして、雇用をキープしなければならないが、カラーテレビに代わるような強力な商品はあるのだろうか、心配だ」ということが語られはじめたのである。

私は当時、カラーテレビがこれから十分に行きわたると、その利用価値は、国際放送の実現なども含めて、予想を超えたところまでも多面化し、大きくなってくると信じていた。そして、企業の立場からみても、次の大型商品として、ビデオ・テープレコーダー(VTR)やビデオ・ディスクがあり、けっして心配はいらないと言いつづけていた。

私がまず着手したのは家庭用VTRであった。ラジオ放送をはじめ音楽や講演などいろいろな音を記録しておいて必要に応じて再生して聴くということが簡単にできるように、テレビジョンの方も、放送をただ受けて見るだけでなく、それを記録して再生できるようにする、また、家庭や企業で簡単に撮影したり再生したりできる、そういう機械、すなわち、家庭用VTRの開発をめざして、研究を始めたのである。それは昭和三〇年ころからである。

VTRは、昭和三一(一九五六)年にアメリカのアンペックス社が開発したものが最初である。それは放送局用に作られたもので、放送プログラムを記録しておいて、好きなときにそれを再生して放送するということで、非常に優れたものであった。

これはフォー・ヘッド方式といって、非常に複雑な方式のものであり、値段も何千万円という高価な装置であった。したがって、この技術を踏襲して家庭向けのものを開発するということはできなかった。家庭用のものは、どのような商品にも共通することだが、もっとシンプルでコンパクトな装置でなければならない。したがって、そのためには全く新しい方法を考えねばならなかった。

さて、昭和三五年八月、NHKがローマ・オリンピックの中継放送を行なうに当って、VTRを使ってシーンを記録し、それを後で放送するという方法も採られることになり、その機器として、東芝が開発したシングル・ヘッド方式のものが指定された。これはテープの上に七〇ミリ幅で映像信号を記録して再生するというもので、非常に優れた性能の機械であった。ただ惜しむらくは、実際にそれを使って記録してみると、テープの消耗度合が非常に大きく、再生に苦労するという弱点があった。

それを見学してから私は、当時TBSの技術にいた長男の俊といろいろ話し合って、一つのヘッドでは、テープがドラムを非常に強く締めてしまい、テープが伸びてしまってよくないから、円筒にテープを半分だけ巻きつけツー・ヘッドにしてヘッドを切り換えるやり方にすればよい、と思いついた。

そこで、これをやってみようということになり、ツー・ヘッド方式の研究プロジェクト・チームを組んで開発を始めた。そして約一年ほどで、白黒の画が出せるようになった。そしてつづいてカラーの画像も出せるようにした。これが昭和三四、三五年のことである。

その直後昭和三六年にスイスのモントルー市で開かれた第一回国際テレビ・フェスティバルで、私はＲＣＡ社のサーノフさんたちと共にテレビの開発者として表彰されることになったが、そこでこのツー・ヘッド方式の機械を展示・説明して、好評を得た。

帰国後、昭和三八年四月に私どもは、それをさらにコンパクトにしたりして改良したものを発表した。このＫＶ二〇〇は、それまでのフォー・ヘッドのものと較べて大きさは世界最小、テープ幅は一インチで従来のものの半分、従ってテープの量も半分、取扱いも簡単で、低価格といった長所をもち、業務用としては、国内はもとより海外の放送局にも広く採用されるようになった。

ただ、家庭用のものを作るという点では色々と問題があって、なかなかうまくいかなかった。

しかし、昭和四四年にはＶＴＲは大きく前進する。それは、日

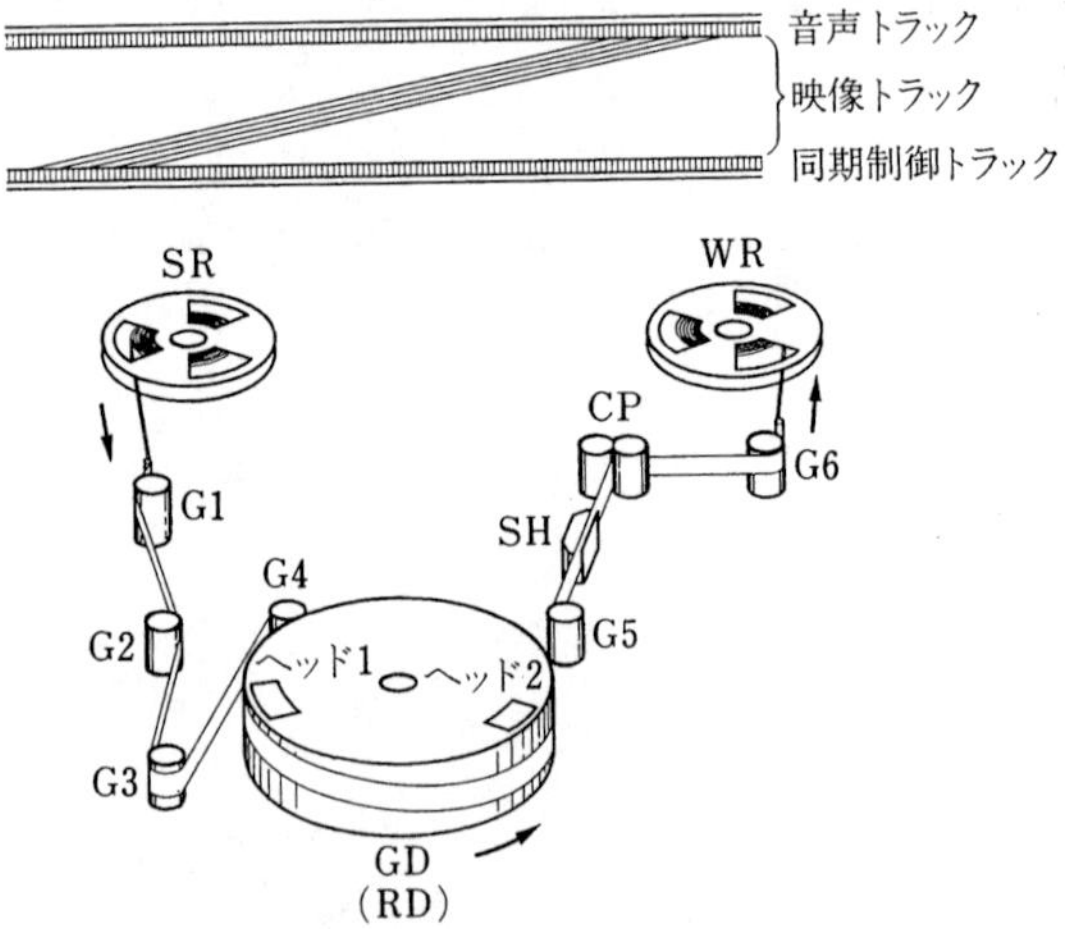

ツー・ヘッド方式ＶＴＲのしくみ

本ビクターとソニー、松下の三者が共同開発したもので、カセット・タイプといって、二つのリールを箱の中に入れてそれを機械にかけるという方法をとったので、操作が非常に簡単になった。そして、この「Uマチック」以後、外国の有力な企業も含め、さまざまな方式のカートリッジ式VTRが発表され、激しい開発競争の中で技術が進歩していった。

とりわけ、昭和五〇年前後になると、東芝・三洋グループ、ソニー、松下電器が次次と新しい機種を発表した。日本ビクターは少し発表が遅れたが、五一年九月にVHS（ホーム・ビデオ・システム）方式を発表して人々の関心を呼んだ。開発の当初から、家庭用のビデオに必要な条件をはっきり掲げて挑戦してきたことで、成果へつなぐことができたのである。それ以後この方式は、その技術的な成功とともに、日本ビクターと松下電器の取ったグループ作りも効を奏し、さまざまな他の方式を駆逐して、世界に最も広く普及していくことになった。

いずれにせよ、VTRは、テレビでは戦争のために技術的空白が生じて特許やロイヤルティで苦労したのと異なり、純国産技術での開発が実現したばかりでなく、アメリカ、ヨーロッパを始め世界中が私たちの開発したVHS方式を採用して生産するようになっているのである。テレビの時とは逆に、沢山のロイヤルティ収入も得られる

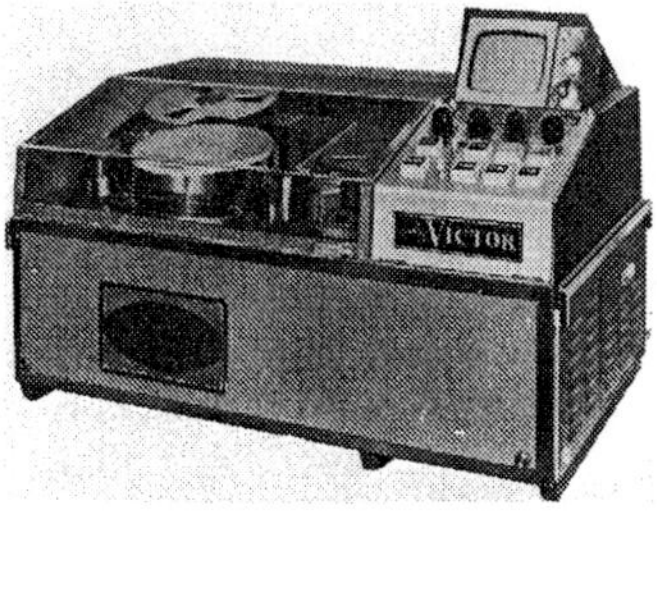

昭和三八年に発表されたツー・ヘッドVTR、KV二〇〇

ようになったわけである。

◈ビデオ・ディスクの開発

次に私どもが考えたのはビデオ・ディスクであった。音楽レコード盤とは違い、音声だけでなく映像をも円盤のディスクの上に刻み込んで再生する方式を研究しようとしたのである。それは、ビデオ・ディスクがVTRと較べて、より沢山の情報をつめこめること、必要な個所を即座にとり出せること、盤の値段が安いことなどという特徴があり、これから家庭で大いに普及するだろうと思われたからである。

この技術も、電子技術とレーザー技術、非常に精密な機械技術が必要な、大変むずかしいものであった。

しかし、日本ビクターではRCA社の依頼により、放送用のビデオ・テープレコーダーについて、スローモーションで再生する装置を研究・試作していた縁で、昭和四一年ごろに、再びRCA社から、ビデオ・ディスクで一〇分なり二〇分なり再生できる方法を考案して欲しいとの要請を受け、それ以来ずっと研究を続けてきていたのである。

幸い日本ビクターは、ディスクの製造技術については戦後さまざまな成果をあげて

溝なし静電容量方式のビデオ・ディスク

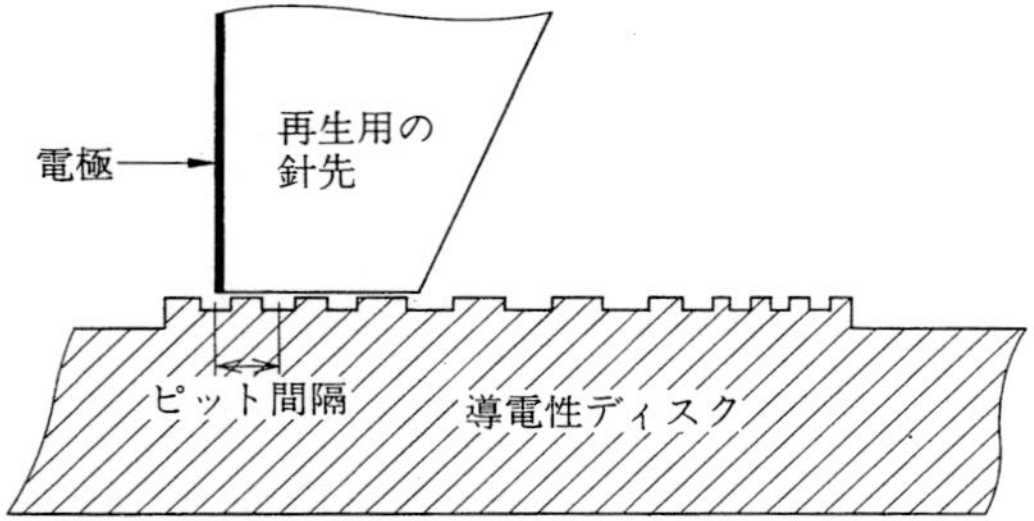

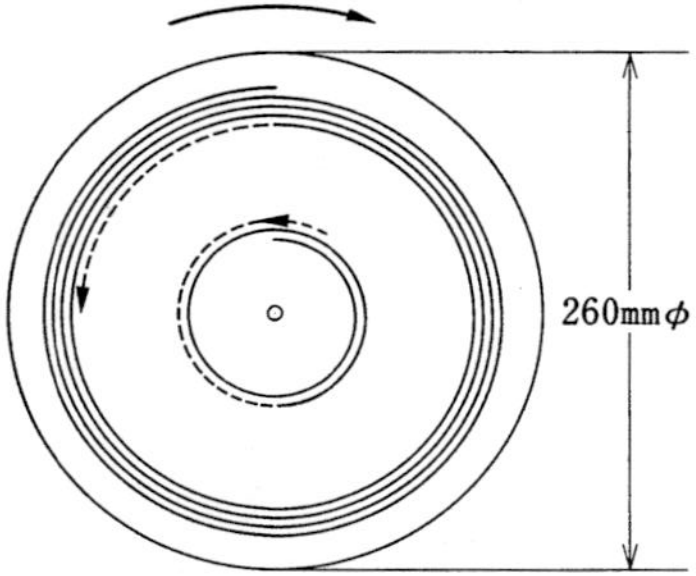

片面：1時間の再生
（900回転/毎分）
トラック数：54,000
P_t：トラックピッチ：1.35ミクロン
B_w：ピット幅：0.8ミクロン
ピット深さ：0.3ミクロン
ピット全数：250億個

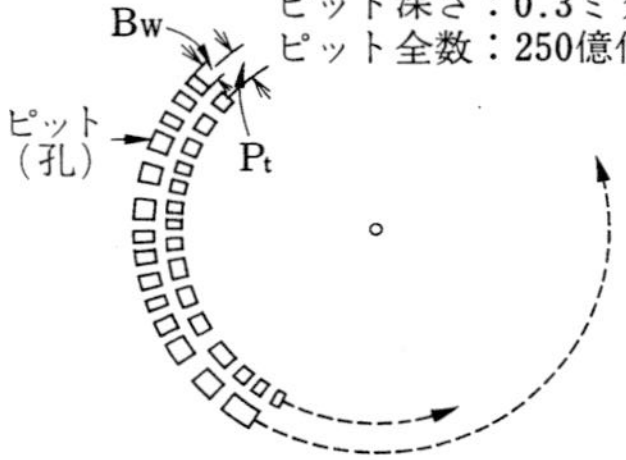

○ディスクの表面は平らで，再生針先を案内する溝はない。
○針先がディスクに接触する面も平らである。
○信号はピットの間隔のちがいとして記録される。
　高い周波数：ピット間隔狭い。
　低い周波数：ピット間隔広い。
○再生は静電容量ピック・アップであり，再生針の電極の先端がピットの有無で静電容量の変化を検出する。
○実際のディスクにはトラックとトラックの間にもう1つのサーボ用のピットがある。

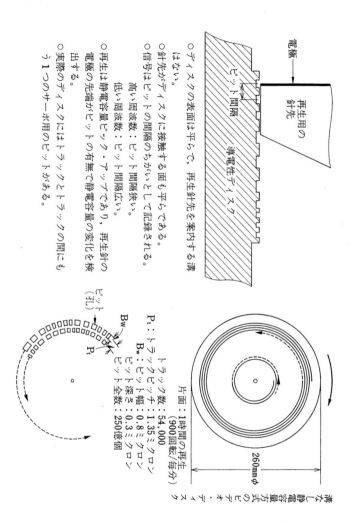

きていた。45－45方式のステレオ技術や、四チャンネル・レコードがそれである。ビデオ・ディスクの開発は、RCA、テレフンケン、フィリップスなど世界の代表的な企業が悪戦苦闘していたが、私たちもそれに伍して、独自の技術開発を始めたのである。

私たちは、最初は磁気シートを使ってやろうとして、難しくてなかなかうまくゆかなかった。いろいろと試行錯誤の末、レコード盤自体が導電性をもつような材料を使い、それにドットをいっぺんに押してディスク盤を作り、しかも針で映像を再生できるという静電容量方式というものを採用し、開発した。

このVHD方式のビデオ・ディスクも、VHS方式のVTRと同様、日本独特の技術である。映像の質もよく、プレイヤーもディスクも比較的安く作れるという利点があり、将来性が大きいと思う。

◈若き人々と共に

こうして私は、戦後、カラーテレビの大幅改良という課題につづいて、ビデオ・テープレコーダーとビデオ・ディスクの技術を国産技術として開発・完成することができた。といってももちろんこれは、日本ビクターの技術者たちが研究開発プロジェクト・チームの一員として大変にすばらしい発想や努力によって完成し、商品化したのである。私は、基本的アイデアを出し、チームをうまく組織して彼らの進む方向の案内をするという役割を果たしたわけである。

ここまでお話ししてきたように、私は戦後昭和二一年に顧問、テレビジョン研究部長として日本ビクターに入社して以来、取締役、常務、専務、副社長となったが、その間、研究開発本部長とか技術本部長などの職にもついて、未来商品の開発に携わってきた。そこでは、自分の研究を進めると同時に、後進の指導に当り、その中で具体的な開発成果をあげていかねばならなかった。私は、浜松高工時代、NHK時代、海軍技術廠時代と、一貫して研究・指導・開発を併せ行なうという立場にあったことになる。

この間私は、自分の研究生活での経験などに基づき、次のようなことに留意して、若い人々に接してきた。その内容は、ここまでのお話の中でそのつど語ってきたのだが、整理しておこう。

第一に、一〇年先、二〇年先に求められる技術に研究の目標・テーマを見定める先見性を持つこと。そして目標を定めたら、それに向かって、亀のようにねばり強く、休むことなく、ひたむきに努力すること。そうすれば、私のように凡々たる人間でも、不可能と思われたテレビ技術を完成させることができたように、何か人々に役立てることを必ずなしとげることができるのである。

第二に、現在は、昔のように一人の人間の天才的なひらめきによって科学・技術が進歩するという時代ではなく、プロジェクト・チームの集団討議によるステップ・バイ・ステップの研究によってこそ大きな成果が期待できる時代だということである。そしてそのためには、研究の態度をオープンにし、自分の研究成果はすべて個人のレベルに止めずにどんどん知らせ、皆でいっしょに向上しようとすることが大切だということである。

第三に、何事であれ自分の課題に関わることは、専門外のことだなどといって他人まかせにしないで、自分たちでとりくむことである。私はテレビ研究の初期に、真空技術等を専門家に依存して失敗している。とくに複合的な技術が要請される現在では、関連分野についてよく知っていることは、自分の本来の分野での研究の進展のためにも必要なのである。

第四は、個人の創意や自主性を、あらゆる意味で大切にすることである。これは、私が少年時代に渡瀬先生から身をもって教えられたことである。上の者だけが研究者で、その下のものは手伝いか道具みたいに考えるのでは、良い研究はできない。第一線の若い研究者の自発的な意思で研究を進めた方が、成果の大きさという意味でも必ず上まわるのである。

私は、日本ビクターで研究に従事した間も、当然ながらこの信念を守ろうと努めてきた。

日本ビクターに入社すると、私は、一緒に入社した海軍の技師やもともと日本ビクターにいたテレビジョン研究者を集めて、頻繁にディスカッションをした。「高柳ゼミ」と呼ばれたこの打合せ会に端を発する共同研究のスタイルは、その後、形は変わってもずっと続けられた。

私は、そこでは、私の考えたこと、アイデアなどすべてを話した。そして皆にもそうするように要請した。自分の得た知識をけっして内緒にしないで、他の人がそれを利用するのを手伝うくらいにしなければいけないとしたのである。他人にできるだけ与える。そうすることが自分も沢山受けとることにつながり、全体としてのレベルが上がって、とても無理と思われるような課題を達成することにつながるのである。

ただ、グループによる研究といっても、最初にアイデアを出した人を尊重し、その人の功績を全体で認めること、これは必要である。その人をもり立てる形での研究の積み重ねを行なわなくてはならない。

また、一人一人が自分の考えを自分でたしかめるようにすることも大切である。若い人に自発的研究を進めると、時として、私が既に失敗したことなど、「どうかな?」と思われるアイデアをもってくることがある。そういう時も私は、「だからダメだ、やめるように」とは言わないようにした。自分のやった方法を示し、それを乗りこえて成果をあげるように、と助言したのである。

私のところへは、よく色々な方が「新しいものを作ったが、役に立たないか」と言ってきてくれる。例えば、かつて磁気ヘッドの研究に取りくんでいたころ、ヘッドの磨耗が激しくて困りきっていた時に、干天に慈雨という言葉そのままに、横浜国立大学の船渡川善哉教授が、世界で始めてフェライトの結晶を作ったが利用できないかと言ってこられた。これは、磁気ヘッドとして最適の、今まで求めて得られなかった材料なのである。私は本当に嬉しく有難かった。

こうしたことは皆、私が研究の内容をチームの中で完全にオープンにしてきたおかげだと思う。

ともあれ、こうした研究活動の中で、日本ビクターの研究・開発水準は非常に高くなっていった。たくさんのすばらしい技術者がつぎつぎと育ち、たいへん立派な発明など成果をあげたし、会社として考えても、カラーテレビ、ビデオ・テープレコーダー、ビデオ・ディスクをはじめ、世界をリードする技術開発を成し遂げることができたのである。

私は、これらの人々の努力のおかげで、自分が夢みたもの、考案したものが次々と実用化され、世界中の人々に愛されているのを、生きている間に、直接に自分の眼でみることができた。こんなすばらしいことを経験した人は少ないと思う。私は本当に幸せ者だと思うのである。

◈すばらしき映像への尽きぬ夢

私は今、現役を離れ、湘南の気候温暖な場所に居を得て、妻とともに相模灘や富士の風光を楽しむ毎日を送っている。しかし、新しい技術への夢は尽きることなく湧き上がってくる。

今、さらにカラー・テレビの映像をよくするにはどうしたらよいかということを研究している。そして、次の段階の画像では、単に物理的に色を忠実に再生するという現在までの目標を超える必要があると思っている。つまり、カラー写真でも、テレビカメラで撮った画像でも、急速に画質が向上し、忠実度が増してきている。しかし、気づかれないだろうか、それらを、芸術というレベルを考えに入れて見ると、全く不十分なのである。

どんなに忠実に撮って映し出した絵も、名人が画いたその本物の絵には遠くおよばない。本当の絵は我々に強烈な印象を与え、感動させるが、写真やテレビ画面はそれがどんなに綺麗であっても感激がない。これは何故なのか。これを究めるには、人間の脳細胞がいかにして色彩を感じるのかを知らねばならない。同じ色を見ても見る人によって感じが違う。美を感じるのも、程度も違えば方向も違う。これはみな脳の神経の働き方の問題なのだが、これを調べて、単に原色に忠実な色を出すのでなく、そこに人間の色感という要素を入れて色を出そうというわけである。

この研究は、むずかしくて、なかなか進まないが、最近ようやく一つのまとめができるところまで到達しえたように思う。私は、これだけでなく、これからも自分の夢をうむことなく追ってゆきたいと思う。

テレビ技術はまだ発展の第一段階にあると言ってよい。大変に大きな進歩を遂げたのだが、やはり未だ、昭和初めに私の発明・確立した技術の延長線上にあるにすぎないとも言える。そして今、近年のエレクトロニクス技術の進歩により、発想を転換し、現在の方式を乗りこえて新しいレベルに飛躍する条件が、次第に熟してきているようである。この飛躍を実現していくのは、若い人々の手に委ねねばならない。私の

私の好きなことば

六十年余の研究生活の経験がこの前進に何らかの指針として役立ってもらえればと願ってやまない。

あとがき

かねて中学生、高校生、そして一般の方々向きの書物として有斐閣の伊東晋氏より依頼をうけていた『テレビ事始』の執筆が完了し出版されることになり、大変うれしいことである。

私及び家内の発病のため、たいへん執筆が遅れて御迷惑をおかけしたが、幸い松山喜八郎氏や日本ビクター広報室、同じく人事課をはじめ各位の御協力によって、漸く今日完了することができた。ここに厚く御礼申し上げたい。

私はまことに愚鈍、虚弱に生まれた。その私がテレビ研究を立志し、現在の電子方式を完成し得たことは、多数の恩人、恩師と、文部省、NHK及び日本ビクター等の諸機関の御教訓、御指導及び御支援の賜であり、ここに心より深く感謝する次第である。私はいささかでもこうした恩人、恩師及び諸機関に感謝の意を表する意味で、本書を書いたのである。

また私は、若い人たちになるべくテレビの研究開発の真実を知っていただきたく思って、その発端から完了にいたる全道程にわたり、思考の順序に従って詳述したので、いささか冗長、繁雑の感も残ったことをお許し願いたい。

さて私は、テレビ、VTR等の尖端技術を開発し、新産業を発展させ、世界の文化の向上と経済の発展を図ってきた。しかし私はかかる形而下の発展だけでは人類は幸福にならぬことを知って、残念に思っている。

人類が幸福になるには、物質文明と同様に精神上の文明が必要である。昔から人の道については、宗教や学問の世界での聖人、哲人の教えがあった。しかし近代の社会的進展と変化は却って人の道に著しい混迷をもたらし、善悪・正邪が判定し難くなって、種々な問題や不祥事が発生している。

私はまず善悪・正邪を検証できるような現代的な科学的な鏡がほしいと思う。更に進んでは、現状のまま進行した場合に、世界の未来が如何になるかを予見できる鏡がほしい。そしてこれらは、現代の高度な科学技術を基礎として創られうると思う。

私は、多くの若い人々がこの課題に挑み、この鏡を眺めることにより人類が未来を知り、その反省によって世界が永遠の平和と繁栄を手にすることを期待するのである。

テレビの発明・実用化の歴史

年	日本	外国
一八七三(明6)年		メイ(英)、セレニウムの抵抗が光によって変わることを発見。
		スミス(米)、セレンの感光性を発表。
一八七五(明8)年		キャレイ(米)、多数のセレニウム・セルを用いた多線式テレビを考案。
一八七六(明9)年		ベル(米)、電話を発明し、実験に成功。
一八七八(明11)年		センレック、直列方式によるテレビを考案。
一八七九(明12)年		トムソン(英)、陰極線の電気的偏向を発見。
一八八四(明17)年		ニポー(独)、ニポー円板を発明。ファラデー効果を利用したテレビを考案。

一八八五(明18)年		トムソン(英)、陰極線の磁気偏向を発見。
一八八八(明21)年	電気学会創立。	ヘルツ(独)、電波を発見し、実証。
一八八九(明22)年		ワイラー(独)、ワイラー鏡車を発明。
一八九三(明26)年		エルスターとガイテル(独)、カリウムとナトリウムを用いた光電管を製作。
一八九四(明27)年		ジェンキンス(米)、テレビ研究に着手。 マルコーニ(伊)、無線の実験。
一八九七(明30)年		ブラウン(独)、ブラウン管を考案。
一九〇四(明37)年		フレミング(英)、二極真空管を発明。
一九〇七(明40)年		ド・フォーレ(米)、三極真空管を発明。 ロージング(露)、受像にブラウン管を使用したテレビの実験。

一九〇八（明41）年		スウィントン（英）、陰極線式テレビを考案。
一九一〇（明43）年		エクシュトローム（独）、エクシュトローム照明法を発明。
一九一九（大8）年		ミハリー（墺）、初めてテレビ研究を発表。
一九二〇（大9）年		マルコーニ社（英）、ロンドンにてラジオの実験放送開始。 WH社（米）のKDKA局、ラジオ放送開始（世界最初の本格的ラジオ放送局）。
一九二三（大12）年	高柳、テレビジョン研究を立志。	ジェンキンス（米）、テレビ方式によりワシントンからフィラデルフィアに大統領の画像を送る。
一九二四（大13）年	高柳、撮像・受像とも電子式のテレビの研究を開始。	
一九二五（大14）年		ベアード（英）、機械式テレビの実験に成功。

一九二六（大15）年	高柳、送像にニポー円板、受像にブラウン管を用いた折衷方式テレビ（走査線四〇本）により、「イ」の字の映出に成功。 早稲田大学にて機械式テレビの研究始まる。	ベアード（英）、機械式テレビの実験（走査線三〇本）を王立協会の会員に公開。 ベアード、テレビ会社を設立。
一九二七（昭2）年		ベル研究所（米）、ワシントン－ニューヨーク間での有線テレビ実験を公開（走査線五〇本）。
一九二八（昭3）年	高柳、人物の送像に成功（走査線四〇本、毎秒送像数一四）。電気学会においてテレビの実験を公開。	WGY局（米）、テレビ実験放送を開始。 ベアード（英）、世界初のカラーテレビ実験に成功（三重スパイラルのニポー円板を用い、走査線三〇本）。 ドイツの無線大展覧会場でテレビ実験公開。
一九二九（昭4）年	高柳、テレビ用高真空多極ブラウン管を発明。	ベアード（英）、BBCと協力してロンドンでテレビの実験を開始。 ツヴォルィキン（米）、キネスコープを公開実験。
一九三〇（昭5）年	ラジオ放送五周年記念展覧会に、浜松高工式テレビと早稲田大学式テレビが出品、実験を公開。	アレキサンダー（米）、六尺四方のスクリーンに映す投写式テレビを公開実験。

	早稲田大学(山本・川原田両教授)、五尺四方の大画面受像の公開実験に成功（走査線六〇本、毎秒一二・五枚）。 浜松高工でテレビ実験を天覧。 高柳、積分法による撮像方式を発明。	ベアード(英)、九尺×一二尺画面でカラーテレビを投写実験。 ファルンスワース(米)、ディセクター・チューブの論文発表。 ツヴォルィキン(米)、アイコノスコープの原理を発明。
一九三一(昭6)年	NHK技研、テレビ研究を開始。 逓信省電気試験所の曾根有、機械式テレビの実験装置を試作。 高柳、走査線一〇〇本、毎秒二〇枚のテレビ実験に成功。	RCA社(米)、ニューヨークのエンパイア・ステート・ビルの上にテレビ送信機を取付け。 CBS社(米)、ニューヨーク・テレビ実験局を開設。 ドイツ、ラジオ展に走査線一〇〇本の受像機を出品。
一九三二(昭7)年	第四回発明博（東京）で、早大(六〇本)、浜松高工(一〇〇本)のテレビ実験装置が公開される。 曾根有、携帯型テレビ装置の実験公開。	ベアード(英)、BBCより九〇本及び一二〇本の走査線のテレビ実験。
一九三三(昭8)年	東京電気、ファルンスワース管により走査線一二〇本の実験に成功。	ツヴォルィキン(米)、アイコノスコープを発表し、世界を驚かす。

一九三四（昭9）年	浜松高工、走査線一〇〇本のテレビの無線伝達試験を実施。	イタリア、最初のテレビ局開設、アイコノスコープを使用。
一九三五（昭10）年	東京電気、アイコノスコープにより、走査線二四〇本の送像に成功。 浜松高工、アイコノスコープの試作に成功（走査線二二〇本、毎秒二〇枚）。	ドイツ、フランス、定期テレビ放送開始。 イギリス、走査線四〇五本のテレビ実験放送開始。
一九三六（昭11）年	浜松高工、走査線二四五本、飛越走査、毎秒送像数三〇枚の全電子式テレビを完成。	アメリカFCC、テレビ走査線を四四一本と決定。 BBC（英）、アレキサンドラ・パレスからテレビ正式放送開始。 ドイツ、オリンピック・ベルリン大会をテレビで実況放送。
一九三七（昭12）年	オリンピック東京大会のテレビ放送準備のため、高柳以下一九名が浜松高工よりNHKに移る。 浜松高工、NHKの依頼によるテレビ中継自動車を完成。	BBC（英）、テレビ標準方式を決定（四〇五本）。 ドイツ、テレビ標準方式を決定（四四一本）。
一九三八（昭13）年	テレビジョン調査委員会、暫定テレビ標準方式を	フランス、エッフェル塔局でテレビ放送開始、二

	決定（走査線四四一本、毎秒二五枚、飛越走査）。 NHK技研、アイコノスコープとブラウン管を試作。	五KW、四五五本方式。
一九三九（昭14）年	NHK技研、テレビ実験局を完成。初めてテレビ電波を出し、新築の放送会館で公開受像。 三越で開催された興亜逓信展覧会でテレビ受像を一般公開。	
	日本電気、東芝、初の国産受像機を完成。	
一九四〇（昭15）年	NHK技研、初めてテレビドラマを実験放送。	
一九四一（昭16）年	NHK技研からの実験放送が戦争のため中止される。	アメリカFCC、商業テレビ放送の開始を決定、標準方式を五二五本とし、正式放送開始。
一九四二（昭17）年	日本のテレビ研究、全く中止される。	アメリカ、NBC、CBSとも戦争のためテレビ放送を中止。
一九四四（昭19）年		アメリカ、フランス、テレビ放送を再開。

一九四六（昭21）年	テレビジョン同好会発足（一九五〇年にテレビジョン学会と改称）。	
一九五三（昭28）年	日本最初のテレビ本放送開始。	アメリカＦＣＣ、ＮＴＳＣカラー方式採用を決定。
一九五四（昭29）年		アメリカ、カラー放送開始。
一九六〇（昭35）年	カラーテレビ本放送開始。	

本書の刊行に当り多くの資料を参照し引用させていただいた。入門書という性格上、いちいちげることができなかったが、以下に主要なものを記して御礼にかえたい。高柳「私の履歴書」（本経済新聞に連載）、ＮＨＫより贈られたアルバム、『和田学校百年之歩み』、P. Sarnoff, *oking Ahead*, 鈴木要太郎『金原明善翁余話』、『甲寅会』還暦号、安達龍作『手島精一伝』、浜松工業会、日本テレビジョン学会『年報』昭和九年版、テレビジョン学会『テレビジョン技術史』、*SMPTE Journal*, *Television*,『日本ビクター五〇年史』、ほか。

高柳健次郎・年譜

経　歴

明治三二年（一八九九）　1月20日　静岡県浜松市に生まれる
大正一〇年（一九二一）　3月　東京高等工業学校（現東京工業大学）卒業
　　　　　　　　　　　　3月　神奈川県立工業学校　教諭
　　一三年（一九二四）　4月　浜松高等工業学校　助教授
昭和　五年（一九三〇）　5月　同校　教授
　　一二年（一九三七）　10月　NHK技術研究所入所・第三部長
　　一九年（一九四四）　7月　海軍技師
　　二一年（一九四六）　7月　日本ビクター㈱入社・テレビジョン研究部長
　　二五年（一九五〇）　7月　同社　取締役技師長
　　二八年（一九五三）　3月　同社　常務取締役
　　三六年（一九六一）　11月　同社　専務取締役
　　三七年（一九六二）　11月　同社　代表取締役専務
　　四五年（一九七〇）　11月　同社　代表取締役副社長
　　四八年（一九七三）　9月　㈱ビクターデータシステムズ　取締役社長
　　　　　　　　　　　　11月　日本ビクター㈱技術最高顧問
平成　二年（一九九〇）　7月23日　死去（九一歳）

公職等

昭和一二年（一九三七）　12月　㈶浜松電子工学奨励会を設立、理事長を経て会長
二三年（一九四八）　5月　㈳日本映画テレビ技術協会理事長、会長を経て相談役名誉会員
二四年（一九四九）　10月　無線機械工業会〔現㈳日本電子機械工業会〕ラジオ・テレビ技術合同委員会委員長
二五年（一九五〇）　4月　㈶電波技術協会理事
　　　　　　　　　　4月　㈳テレビジョン学会会長、後に名誉会員
二六年（一九五一）　12月　通産省工業生産技術審議会委員
三〇年（一九五五）　4月　郵政省電波技術審議会委員
四〇年（一九六五）　5月　㈳電子通信学会〔現㈳電子情報通信学会〕名誉員
四九年（一九七四）　2月　科学放送振興協会理事長
五六年（一九八一）　5月　㈳電気学会名誉員
五九年（一九八四）　10月　高柳記念電子科学技術振興財団設立、理事長

受賞

昭和　六年（一九三一）〜一三年（一九三八）　帝国発明協会進歩賞など四回受賞
二七年（一九五二）　3月　NHK放送文化賞受賞
三〇年（一九五五）　4月　紫綬宝章受章
三六年（一九六一）　5月　ITU（国際無線通信連合）第一回世界TV祭功労者表彰受賞
四三年（一九六八）　3月　通信協会前島賞受賞
四四年（一九六九）　4月　勲三等瑞宝章受章

四九年（一九七四）　11月　勲二等瑞宝章受章
五五年（一九八〇）　11月　文化功労者表彰受賞
五六年（一九八一）　11月　文化勲章受章
平成　元年（一九八九）　4月　勲一等瑞宝章受章
二年（一九九〇）　7月　従三位に叙せらる

〔名誉称号〕

昭和六二年（一九八七）　7月　米国アラバマ州立大学名誉教授
浜松市名誉市民
六三年（一九八八）　10月　米国ＳＭＰＴＥ（映画テレビ技術者協会）名誉会員＝日本人初
11月　静岡大学名誉博士

主な技術的業績

大正一三年（一九二四）　4月　テレビジョンの本格的研究に着手
11月　テレビ用ブラウン管発明考案
一五年（一九二六）　12月　ブラウン管に「イ」の字の電送・受像に成功（世界初）
昭和　三年（一九二八）　3月　人物像のブラウン管受像に成功
五年（一九三〇）　5月　大型の明るいブラウン管により天覧
12月　テレビ撮像管の発明
一〇年（一九三五）　11月　全電子方式テレビジョン完成
一四年（一九三九）　5月　ＮＨＫにおいてテレビ実験局完成

三一年（一九五六）　9月　「45－45方式」ステレオ開発（世界初）
三四年（一九五九）　10月　二ヘッドVTR開発（世界初）、基本特許発明
三五年（一九六〇）　11月　放送用二ヘッド・カラーVTR開発
四五年（一九七〇）　9月　四チャンネル・ステレオ「CD－4」開発

＊　著者の姓は、高柳が正しいが、本文においては、高柳として当用漢字を使用した。

著者紹介

高柳《たかやなぎ》 健次郎《けんじろう》（元日本ビクター株式会社副社長・技術最高顧問）

天分に生きる・テレビ事始

1990年9月6日　発行

非売品

著　　者　　高柳　健次郎

発 行 者　　江　草　忠　敬

発行所　株式会社　有　斐　閣
〒101 東京都千代田区神田神保町 2-17
電話 265-6811〔営業〕振替 東京 6-370
京都支店〔606〕左京区田中門前町 44

印刷　株式会社理想社印刷所　　製本　和田製本工業株式会社

天分に生きる・テレビ事始（オンデマンド版）

Digital Publishing

2001年11月30日 発行

著　者　　高柳　健次郎
発行者　　江草　忠敬
発行所　　株式会社有斐閣
〒101-0051　東京都千代田区神田神保町2-17
TEL03(3264)1315（編集）　03(3265)6811（営業）
URL http://www.yuhikaku.co.jp/

印刷・製本　株式会社　デジタルパブリッシングサービス
〒162-0813　東京都新宿区東五軒町6-21
TEL03(5225)6061　FAX03(3266)9639

AA632

ISBN4-641-90171-6　Printed in Japan